P9-CPW-451

The Italian project
1a

The Italian project 1a

T. Marin
S. Magnelli

An Italian course for English speakers

Beginners A1 COMMON EUROPEAN FRAMEWORK OF REFERENCE

Student's book

EDILINGUA

www.edilingua.it

T. Marin, after having obtained a degree in Italian language studies, was awarded a Masters degree in ITALS (Italian teaching certification) at the University of Ca' Foscari in Venice and has gained much experience in teaching at various Italian language schools. He is the author of numerous educational books: *Progetto italiano 1, 2, 3* (Student's book), *Progetto italiano Junior 1, 2, 3* (Student's book), *La Prova orale 1* and 2, *Primo Ascolto, Ascolto Medio, Ascolto Avanzato, l'Intermedio in tasca, Vocabolario Visuale* and *Vocabolario Visuale - Quaderno degli esercizi* and coauthor of *Nuovo Progetto italiano Video* and *Progetto italiano Junior Video*. He has held numerous teaching methodology workshops all over the world.

S. Magnelli teaches Italian Language and Literature at the Italian Language Department at the University of Aristotle in Salonica. He has been in charge of teaching Italian as a Foreign Language since 1979; he has collaborated with the Italian Cultural Institute of Salonica, whose courses he taught until 1986. Since then he has been in charge of education planning of Linguistic Institutes in the field of Italian as a Foreign Language. He is the author of the *Progetto italiano 1*, and 2 workbooks.

The authors and publisher would like to thank their many colleagues whose precious observations have contributed to the improvements of this new edition.
They also sincerely thank their teacher-friends who examined and tested the material in the classroom and indicated the definitive form.
Lastly, special thanks to the editors and graphic artists of the publishing company for their utmost commitment.

to my wife
T. M.

Headquarters
Via Alberico II, 4 00193 Rome, Italy
Tel. +39 06 96727307
Fax +39 06 94443138
www.edilingua.it
info@edilingua.it

Depot and Distribution Centre
Moroianni Street, 65 12133 Athens, Greece
Tel. +30 210 5733900
Fax +30 210 5758903

Everything man does has an impact on the environment. We at Edilingua are convinced that our planets' future depends on every single one of us. "**The Earth needs your... HELP!**" is a small but constant sensibilization campaign aimed at students: each book is an invitation to reflect on what we all can do to save energy and reduce CO2 emission! Learn more on what we do on our website.

1st edition: September 2013
ISBN: 978-88-98433-00-1
Editing: Antonio Bidetti, Gennaro Falcone, Viviana Mirabile, Laura Piccolo
Revised edition of the workbook by Lorenza Ruggieri
Layout and graphics: Edilingua
Photo: M. Diaco, T. Marin
Illustrations: Massimo Valenti
Recordings: *Networks Srl*, Milano
Video production: *Autori Multimediali*, Milano
Video scripts and activities: M. Dominici, T. Marin

The authors would value your suggestions, feedback and comments about the book (to be sent via email to redazione@edilingua.it).

Preface

The Italian Project 1 is the product of careful and considered revision, made possible by all the valuable feedback we have received over the last few years from users of the book. It takes into account new requirements imposed by the latest teaching theories, and by the demands of the Common European Framework of Reference for Languages and the various Italian language certifications. Modern language, communication situations that are spontaneous and natural, systematic attention to the four language skills, the reality of Italian life revealed using short texts on the culture and civilisation of our country and a modern and appealing easy-reference layout all contribute to making *The Italian Project 1* a well-balanced learning tool - one that is efficient and simple to use.
The Italian Project 1 is, we believe, more communicative, more inductive and, from a methodological point of view, more modern: the student is constantly encouraged, with the help of the teacher, to learn not just new aspects of grammar but other elements too. Using short, motivating exercises the entire book alternates continually between communicative and grammatical elements, the aim being to keep student interest and the rhythm of the lesson alive. Each unit has been divided into sections to help make organising lessons easier.

Unit Structure (for more suggestions see the teacher's guide)

- The introductory page of each unit (*Per cominciare ...*) aims to give students the necessary initial motivation. It does this using a variety of techniques, which include the use of pre-listening and listening activities, designed to provoke thought and inspire emotional involvement. The theme of the first section and often of the entire unit is introduced.
- Next, in the first section of the unit, students read and listen to a recorded text and check the ideas they had and the answers they gave when doing the earlier exercises. Through this attempt to understand the context, an unconscious overall understanding of the new elements is achieved.
- Subsequently, students reread the text paying attention to the correct pronunciation and intonation. They look for and underline any new aspects of grammar and as a result begin to get an idea of how these are used. Students go on to answer questions designed to check their comprehension and to try to complete a dialogue that is similar, but not identical, to the introductory dialogue using words provided (verbs, pronouns, prepositions, etc.). Students therefore work on the meaning (a necessary condition for true learning, according to Krashen's theories of second language acquisition) and unconsciously absorb the structures. A brief summary, preferably done at home, is the last stage of this scrutiny of the text.
- At this point, alone or in pairs, students begin to think about the new grammar in more depth: they attempt to answer simple questions, to complete summary tables by supplying the missing elements and to carry out simple oral exercises that require them to apply the rules they have learnt. This allows teachers to monitor whether students have understood the new aspects of grammar or not, and students "learn to learn". The book directs students to exercises in the workbook that they are to do later in writing, preferably at home.
- The communicative functions are then presented via short dialogues before being summarised in easy to consult tables. The role-plays that follow can be carried out by two students in front of the rest of the class, or by several groups of two at the same time. Either way the aim is for students to use the new elements together with an expression of their own choosing and thereby to progress towards the linguistic autonomy desired. Teachers should therefore only intervene to stimulate the conversation and not to correct the accuracy of the language. Any lapses in accuracy could be dealt with on a different occasion, in a manner that is indirect and impersonal.
- The texts in the *Conosciamo l'Italia* section can also be used as mini reading comprehension exercises, to introduce new vocabulary and, of course, to present various aspects of modern Italian life. The work could perhaps be set as homework.
- Each unit concludes with a self-evaluation page comprising of four short exercises that focus above all on the communicative and lexical aspects of the unit and on those of the previous unit. The answers are provided, but on a different page. Students should be encouraged to view these exercises as a means to review their own progress rather than as a test in the traditional sense.

Revised edition of the workbook

The decision to produce a "revised edition" of the *Italian Project 1* workbook came from the desire to give teachers and students an improved work and study tool. Our aim was to modify the course workbook radically, to improve it. The main changes are as follows:

- More coherence between the vocabulary in the workbook and that of the student's book. With only a few exceptions, the revised version of the workbook only uses terms that the student has already come across in the student's book.
- Exercises of various types have been used; these are set in context and often contain authentic material to increase variety and avoid repetition.
- Special attention has been paid to the structures and words introduced in previous units; these are systematically reused in the units that follow in a spiral approach.
- Each unit has been enriched by one or two exercises that revise the lexical and communicative elements learnt.
- The instructions have all been looked at again to ensure they are as clear and easy for students to understand as they can be.

- The video exercises (the "episodes") are now at the end of each unit to improve their integration with the other course resources, to create a direct connection between the book course and *Nuovo Progetto italiano Video 1*.
- The images have been updated; new photos and illustrations have been added, with the latter often a functional part of the exercise. The workbook is now presented in full colour.

Volume 1a

This edition (*The Italian Project 1a for English Speakers*) covers level A1 of the Common European Framework of Reference for Languages and offers, in one book, the first six units of both the student's book and the workbook of the standard edition (*Nuovo Progetto italiano 1*). In addition to the various exercises designed with the *Celi, Cils, Plida* and other Italian language certifications in mind, it has a test at the end of each unit, two recap tests, the corresponding *attività video*, an educational "snakes and ladders" game (confirming that even games can be educational), extra information in English on the grammar which, when combined with the grammar section, gives students the skills needed to understand the principal grammatical phenomena, and a glossary of the vocabulary with translation. Materials supplied with the book include:

- A 90 minute *DVD* (*Nuovo Progetto italiano Video 1*). Following the same lexical and grammatical progression as the student's book, each *Episode* is a short story that completes the unit dialogues and topics. Essentially an educational sit-com, which, together with the *Interviews* and the *Quiz game* (the other two devices used by *Nuovo Progetto italiano Video*) can be watched while working through the units or totally separately. Either way, a useful and interesting tool.
- An audio CD recorded by professional actors. The tracks, which play at normal speed, are natural and spontaneous. A "slowed down" version of the recordings is also available; whilst this version was designed primarily for students whose mother tongue is very different to Italian, all students could use it when listening to the recordings for the first time to aid comprehension and lower the affective filter. The "slowed down" version is available via the Edilingua website, but is also a feature of the white board software.

Extra material

The Italian Project 1 is completed by a range of other materials.

- *i-d-e-e,* a platform that includes all the exercises from the workbook in interactive form, and a series of tools and resources for both teachers and students.
- *Interactive glossary*, a free app for Smartphones and tablets, to learn and review vocabulary in an original, effective and fun way.
- High quality multimedia interactive white board software that is simple, functional, intuitive and complete. This multimedia tool makes it possible to use, interactively on a single platform, a range of educational aids (audio, video, units from the book, games, tests, etc.).
- *Dieci Racconti*, short simplified stories inspired by the situations in the student's book.
- An *activity book* (Quaderno delle attività) of *Nuovo Progetto italiano Video 1* and online *Teacher's guide* to go with it.

Most of the extra material can be downloaded free of charge from the Edilingua website. The free material includes: an *interactive CD-ROM* (version 3.1), compatible with all versions of Windows and Mac, the software offers hours of extra practice and renders students more active, motivated and autonomous, thanks to its high degree of interactivity; the *teacher's guide* (offering practical ideas and suggestions and valuable material to photocopy); *progress tests*; *glossaries* in a range of languages; *extra exercises and games*; *progetti*, one per unit, to ensure learning is action-based and collaborative (task based learning); the *online exercises* that students are referred to by a special symbol at the end of each unit (offering, via safe websites that are checked periodically, motivating activities that help students discover a more vivid and dynamic picture of Italian culture and society).

Buon lavoro!
The authors

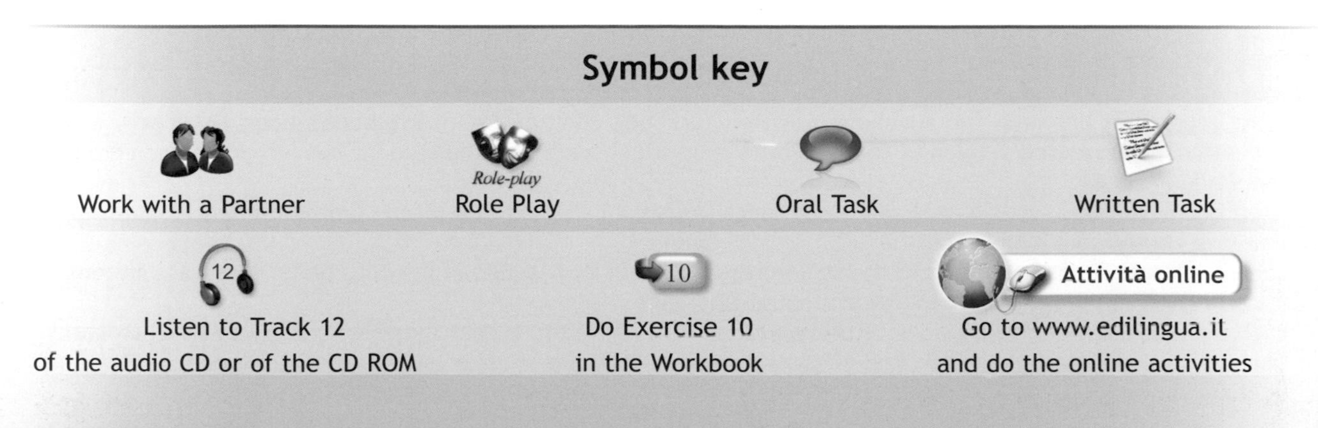

Benvenuti!

(Glossary on page 169)

A Parole e lettere

1 Look at the photos. What is Italy for you?

1 2 3 4 5 6 7 8

2 Work in pairs. Match the numbered photos to these words.

☐ musica	☐ spaghetti	☐ espresso	☐ cappuccino
☐ opera	☐ arte	☐ moda	☐ cinema

Are you familiar with other Italian words? ....

3 **The letters of the alphabet: listen.**

L'alfabeto italiano

A a	a	**H h**	acca	**Q q**	qu
B b	bi	**I i**	i	**R r**	erre
C c	ci	**L l**	elle	**S s**	esse
D d	di	**M m**	emme	**T t**	ti
E e	e	**N n**	enne	**U u**	u
F f	effe	**O o**	o	**V v**	vu (vi)
G g	gi	**P p**	pi	**Z z**	zeta
J j	i lunga	**K k**	cappa	**W w**	vu doppia
X x	ics	**Y y**	ipsilon (i greca)		*In foreign language words*

4 **Spell the words in activity 2.**

5 **Pronunciation (1). Listen and repeat the words.**

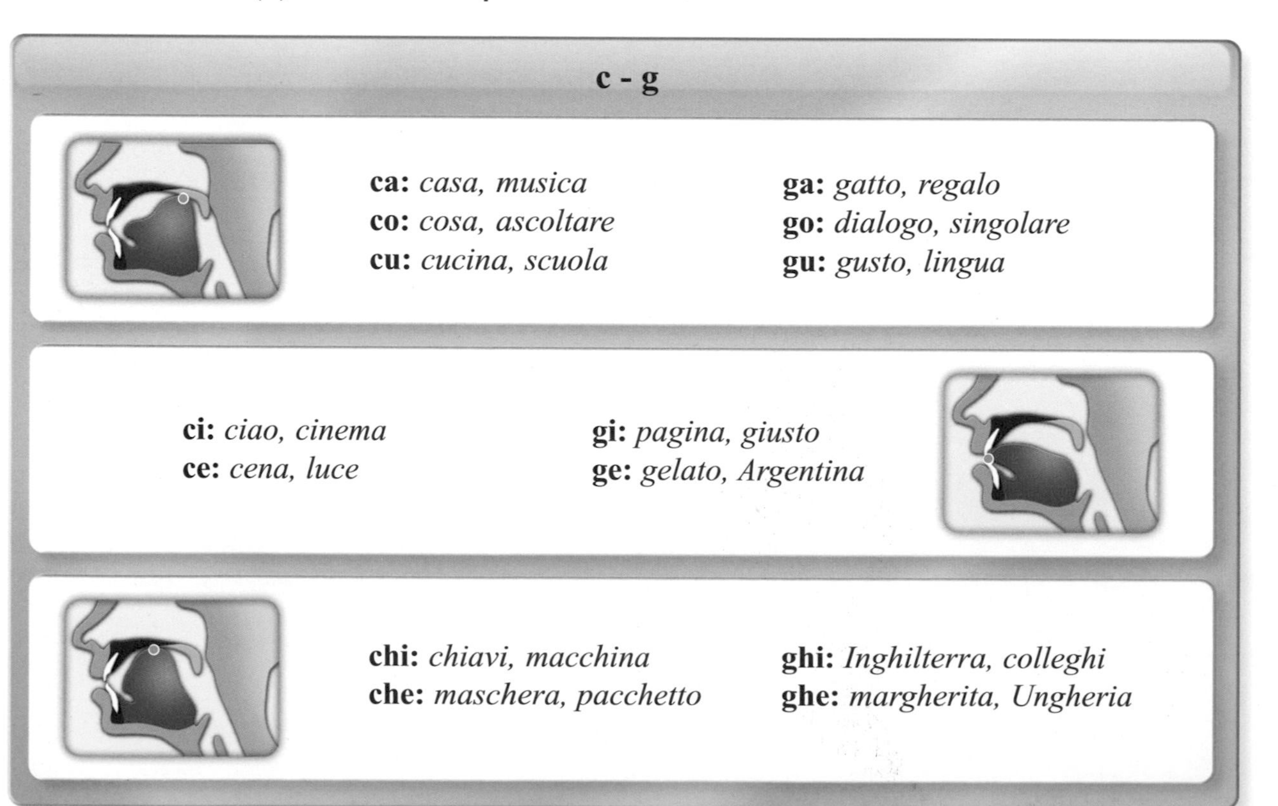

6 Listen and write down the words.

B Italiano o italiana?

1 Look at the pictures and the words. What do you notice?

2 Work in pairs. Match the words to the pictures and find the mistake!

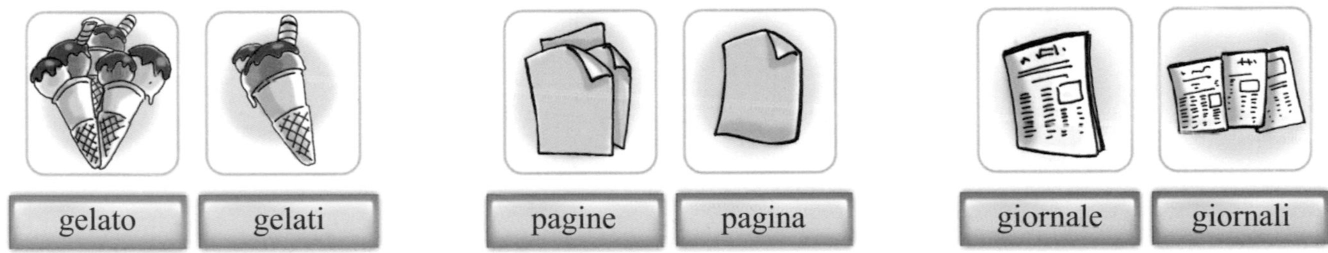

3 Look at the last letter of the singular and plural forms. What do you notice?

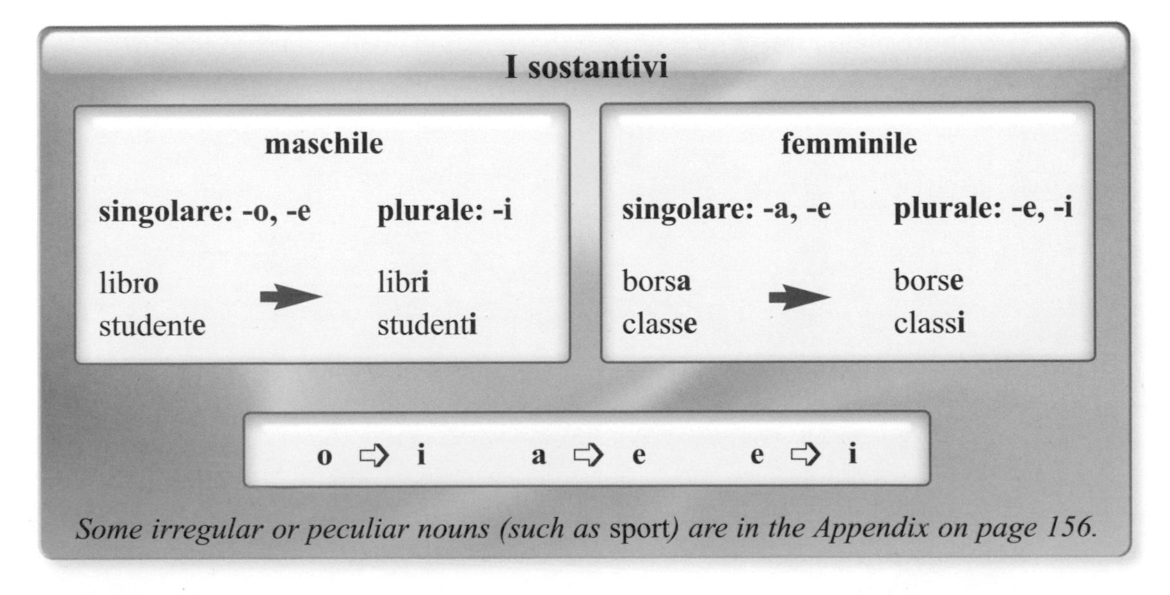

I sostantivi

maschile		**femminile**	
singolare: -o, -e	**plurale: -i**	**singolare: -a, -e**	**plurale: -e, -i**
libr**o**	libr**i**	bors**a**	bors**e**
student**e**	student**i**	class**e**	class**i**

o ⇨ i a ⇨ e e ⇨ i

Some irregular or peculiar nouns (such as sport*) are in the Appendix on page 156.*

4 **Write the nouns in plural.**

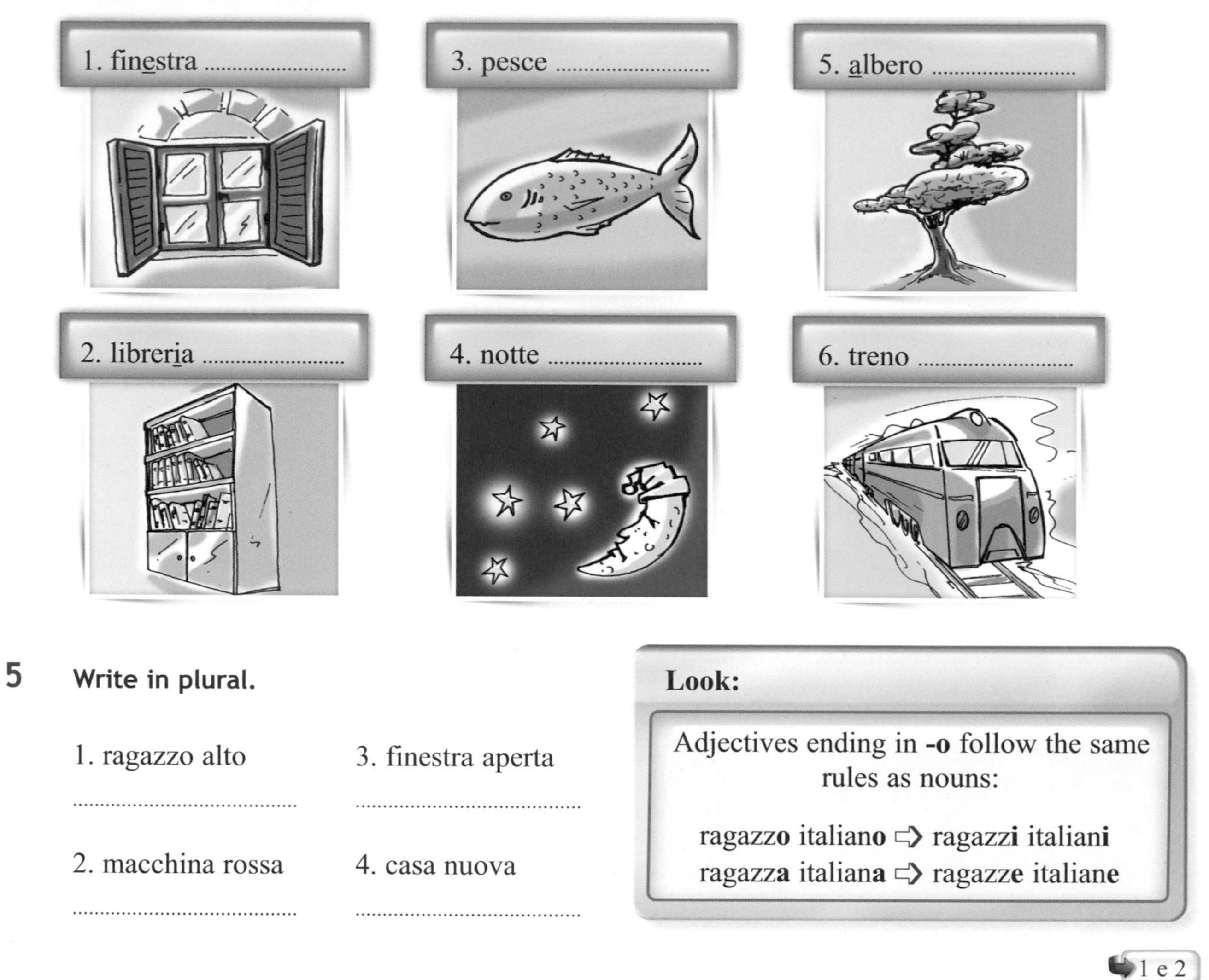

5 **Write in plural.**

1. ragazzo alto ....
2. macchina rossa ....
3. finestra aperta ....
4. casa nuova ....

Look:

Adjectives ending in **-o** follow the same rules as nouns:

ragazz**o** italian**o** ⇨ ragazz**i** italian**i**
ragazz**a** italian**a** ⇨ ragazz**e** italian**e**

1 e 2

C Ciao, io sono Gianna...

4 **1** **Listen to two short dialogues. Which photo does each dialogue correspond to?**

2 **Work in pairs. Listen again and complete the dialogues.**

a.

Stella:	Buongiorno, Gianna. Questi sono Gary e Bob.
Gianna:	Ciao, io .... Gianna. Siete americani?
Bob:	Io sono americano, lui è australiano!

b.

Giorgia:	Ciao, questa .... Dolores.
Matteo:	Piacere Dolores, io sono Matteo. .... spagnola?
Dolores:	Sì, e tu?
Matteo:	Sono italiano.

3 **Read the dialogues and complete the table.**

Il verbo *essere*

io	....		noi	**siamo**	
tu	**sei**	italiano/a	voi	**siete**	italiani/e
lui, lei	....		loro	**sono**	

4 **Look at the designs and orally build sentences, as shown.**

Lui è Paolo, è italiano.

5 **Work in pairs. Build short dialogues, as shown:**
"Ciao, io sono Gàbor. Sono ungherese." "Io sono Helen, sono inglese. Piacere."

6 **Now introduce your partner to the class.**

3 e 4

7 Pronunciation (2). Listen and repeat the words.

s
s: *sorella, sport* **ss:** *osservate, espresso*
s: *casa, frase*
sc: *uscita, pesce* ***but:*** *schema, maschile*

8 Listen and write down the words.

....	....	....	....	....
....	....	....	....	....

D Il ragazzo o la ragazza?

1 Work in pairs. Match the photos to the sentences heard.
Careful, there are two extra photos!

2 Look at the table and complete the sentences which follow.

L'articolo determinativo

maschile	
singolare	**plurale**
il ragazzo	**i** ragazzi
l' albero	**gli** alberi
lo studente, zio	**gli** studenti, zii
femminile	
singolare	**plurale**
la ragazza	**le** ragazze
l' isola	**le** isole

1. Questa è .... macchina di Paolo.
2. Ah, ecco .... chiavi!
3. .... studenti d'italiano sono molti.
4. Questo è .... libro di Anna?
5. Il calcio è .... sport che preferisco!
6. Scusi, è questo .... autobus per il centro?

3 Complete with the articles given.

5 e 6

4 **Make sentences as shown in the example:** "La macchina è rossa".
Note: you can follow the suggested order or make other combinations!

casa	pesci	libri	ristorante	vestiti	zio
bella	piccoli	nuovi	italiano	moderni	giovane

7 - 9

5 **Complete the table with the numbers given.**

uno tre otto

1	....	**6**	sei
2	due	**7**	sette
3	....	**8**	....
4	quattro	**9**	nove
5	cinque	**10**	dieci

8 **6** **Pronunciation (3). Listen and repeat the words.**

9 **7** **Listen and write down the words.**

....	....	....	....	....
....	....	....	....	....

E Chi è?

1 Listen and match the short dialogues to the drawings.

2 Listen and read the dialogues to check your answers.

1.
- Chi è questa ragazza?
- La ragazza con la borsa? Si chiama Carla.
- Che bella ragazza!

2.
- Tesoro, hai tu le chiavi di casa?
- Io? No, io ho le chiavi della macchina.
- E le chiavi di casa dove sono?

3.
- Sai, Maria ha due fratelli: Paolo e Dino.
- Davvero? E quanti anni hanno?
- Paolo ha 11 anni e Dino 16.

4.
- Ciao, io mi chiamo Andrea, e tu?
- Io sono Sara.
- Piacere.

3 Read the dialogues and complete the table.

Il verbo *avere*

io	**ho**		noi	**abbiamo**	
tu	**hai**	22 anni	voi	**avete**	il libro
lui, lei	....		loro	....	

Look:

io	mi chiamo	Marco
tu	ti chiami	Sofia
lui, lei	si chiama	Roberto/a

4 Match the sentences.

1. Quanti anni hai?
2. E tu come ti chiami?
3. Hai fratelli?
4. Ciao, io mi chiamo Matteo.

a. Sì, un fratello e una sorella.
b. 18.
c. E io sono Paola, piacere.
d. Antonio.

10 - 12

5 Work in pairs. Complete the table with the numbers given.

ventiquattro *sedici* *trenta* *ventisette*

11	undici	16	....	21	ventuno	26	ventisei
12	dodici	17	diciassette	22	ventidue	27	....
13	tredici	18	diciotto	23	ventitré	28	ventotto
14	quattordici	19	diciannove	24	....	29	ventinove
15	quindici	20	venti	25	venticinque	30	....

Role-play

6 ▷ *A*: ask your partner: ▷ *B*: answer *A*'s questions.

- *come si chiama*
- *quanti anni ha*
- *come si scrive (lettera per lettera) il suo nome e cognome*

At the end, *A* must report *B*'s answer to the class ("Lui/Lei si chiama..., ha...").

13

7 Pronunciation (4). Listen and repeat the words.

doppie consonanti

cc: *piccolo, cappuccino*
ff: *caffè, difficile*
gg: *oggetto, aggettivo*
ll: *bello, giallo*
mm: *mamma, immagine*
nn: *nonna, gonna*
rr: *terra, corretto*
tt: *settimana, attenzione*

8 Listen and write down the words.

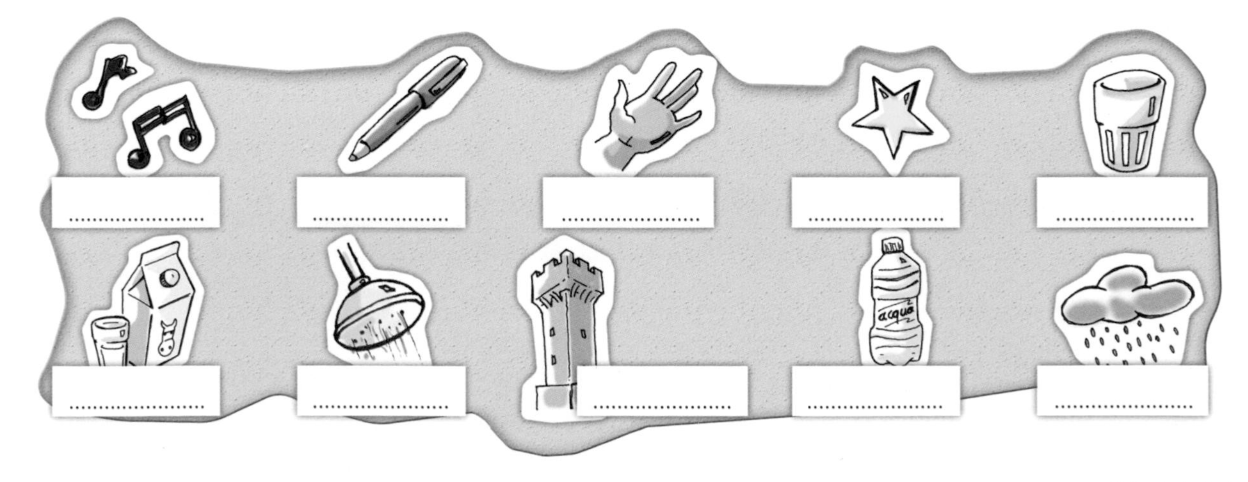

Test finale

Un nuovo inizio

Per cominciare...

1 Look at the photos and explain, in your language, which beginning is more important for you and why.

un nuovo corso

un nuovo lavoro

una nuova casa

un nuovo amore

2 Which of these words do you understand or are you familiar with?

notizia	importante	orario	agenzia
casa	direttore	gentile	fortunata

3 The words of activity 2 are part of a dialogue between two girls. Which beginning do you think they're talking about?

In this unit... (Glossary on page 170)

1. ...we learn to ask for and give information, to meet people, to greet, to describe the physical appearance or personality of a person, to use the polite form
2. ...we become acquainted with the presente indicativo, *the* articolo indeterminativo, *adjectives in -e*
3. ...we find some information about Italy

A E dove lavori adesso?

1 Listen to the dialogue twice and indicate if the sentences are true or false.

	V	F
1. Gianna telefona a Maria ogni giorno.		
2. Gianna non ha notizie importanti.		
3. Gianna lavora ancora in una farmacia.		
4. Per tornare a casa Gianna prende il metrò.		

Maria: Pronto?
Gianna: Ciao Maria, sono Gianna!
Maria: Ehi, ciao! Come stai?
Gianna: Bene, e tu?
Maria: Bene. Ma da quanto tempo!
Gianna: Eh, sì, hai ragione. Senti, ho una notizia importante!
Maria: Cioè?
Gianna: Non lavoro più in farmacia!
Maria: Davvero? E dove lavori adesso?
Gianna: In un'agenzia di viaggi.
Maria: Ah, che bello! Sei contenta?
Gianna: Sì, molto. I colleghi sono simpatici, il direttore è gentile, carino...
Maria: Hmm... E l'orario?
Gianna: L'orario d'ufficio: l'agenzia apre alle 9 e chiude alle 5.
Maria: E a casa a che ora arrivi?
Gianna: Ah, sono fortunata: quando finisco di lavorare, prendo il metrò e dopo venti minuti sono a casa.
Maria: Brava Gianna! Sono contenta per te.

2 Read.

Role play as Maria and Gianna and read the dialogue.

3 Answer the questions orally.

1. Qual è la bella notizia di Gianna?
2. Dove lavora adesso?
3. È contenta del nuovo lavoro?

4 Complete the dialogue with the verbs given.

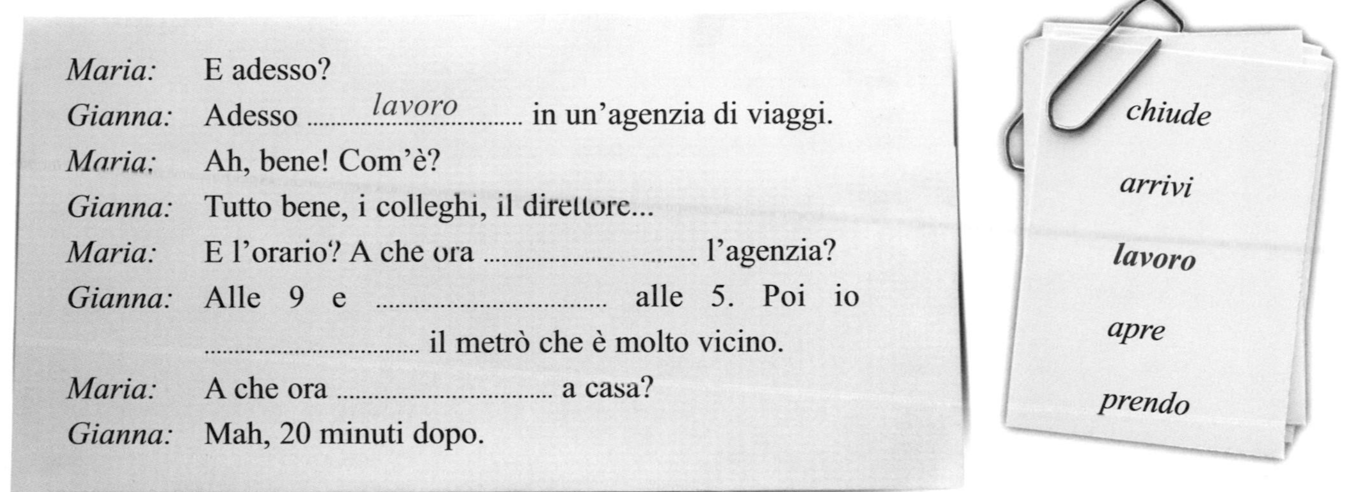

Maria: E adesso?
Gianna: Adesso ....*lavoro*.... in un'agenzia di viaggi.
Maria: Ah, bene! Com'è?
Gianna: Tutto bene, i colleghi, il direttore...
Maria: E l'orario? A che ora .... l'agenzia?
Gianna: Alle 9 e .... alle 5. Poi io .... il metrò che è molto vicino.
Maria: A che ora .... a casa?
Gianna: Mah, 20 minuti dopo.

chiude
arrivi
lavoro
apre
prendo

5 Work in pairs.
Fill in the verbs given in activity 4 beside the right personal pronoun.

io	....	....
tu	....	
lui/lei	....	....

6 **Complete the table.**

Il presente indicativo

	1ª coniugazione **-are**	2ª coniugazione **-ere**	3ª coniugazione **-ire**	
	lavorare	***prendere***	***aprire***	***finire***
io	....	prendo	apro	finisco
tu	lavori	....	apri	finisci
lui lei Lei	lavora	prende	....	finisce
noi	lavoriamo	prendiamo	apriamo	finiamo
voi	lavorate	prendete	aprite	finite
loro	lavorano	prendono	aprono	finiscono

Note: like *aprire*: *dormire*, *offrire*, *partire*, *sentire*, etc.
like *finire*: *capire*, *preferire*, *spedire*, *unire*, *pulire*, *chiarire*, *costruire*, etc.

7 **Answer the questions, as shown.**

Con chi parli? *(con Giorgio)* ➪ *Parlo con Giorgio.*

1. Che tipo di musica ascolti? *(musica italiana)*
2. Quando arrivi? *(oggi)*
3. Che cosa guardano Anna e Marta? *(la televisione)*
4. Cosa prendete da mangiare? *(gli spaghetti)*
5. Capisci tutto quando parla l'insegnante? *(molto)*
6. Quando partite per Perugia? *(domani)*

1 - 7

B Un giorno importante!

1 **Read Luca's e-mail and match the two columns.**
Careful: there is one extra sentence in the right column!

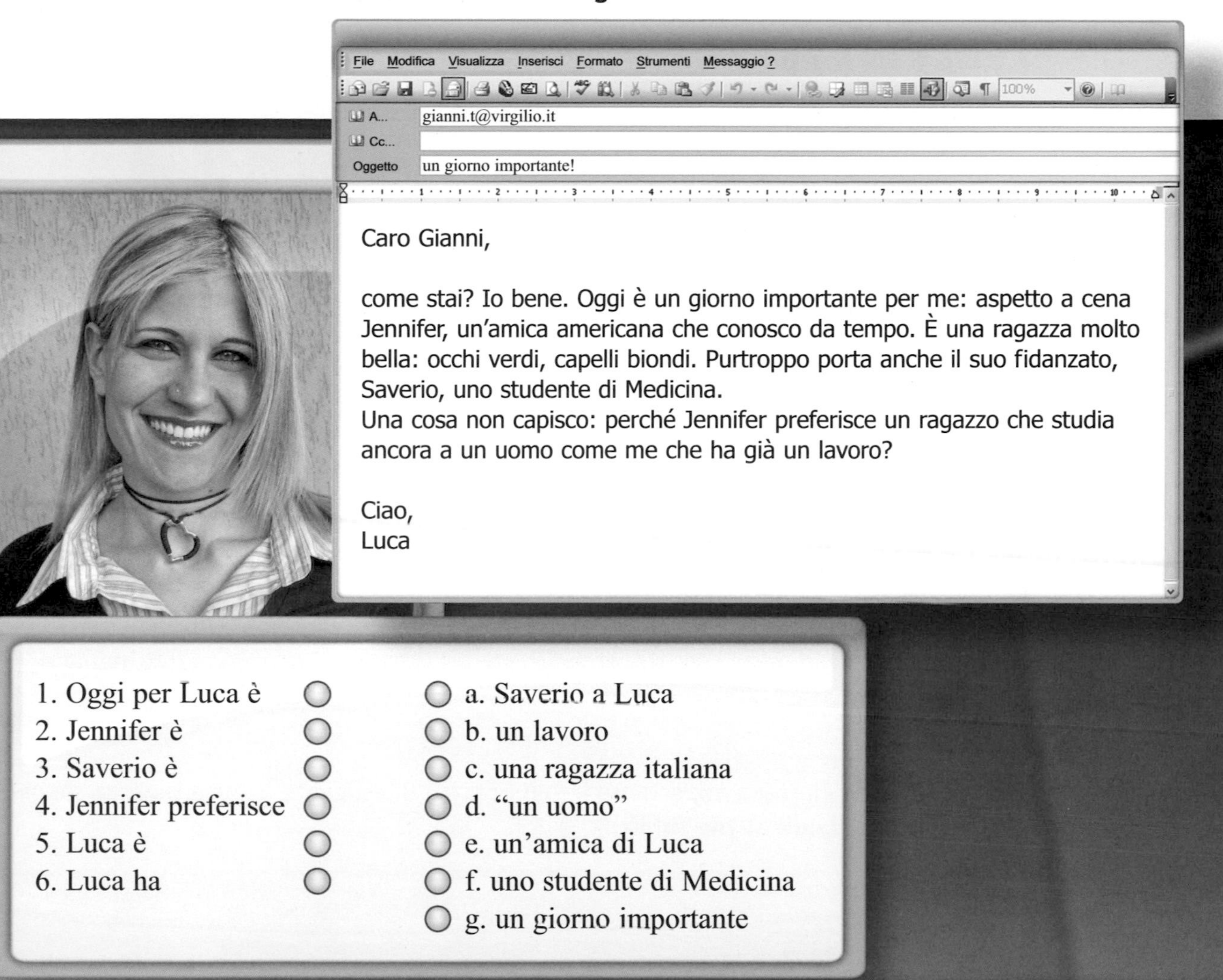

A... gianni.t@virgilio.it
Cc...
Oggetto un giorno importante!

Caro Gianni,

come stai? Io bene. Oggi è un giorno importante per me: aspetto a cena Jennifer, un'amica americana che conosco da tempo. È una ragazza molto bella: occhi verdi, capelli biondi. Purtroppo porta anche il suo fidanzato, Saverio, uno studente di Medicina.
Una cosa non capisco: perché Jennifer preferisce un ragazzo che studia ancora a un uomo come me che ha già un lavoro?

Ciao,
Luca

1. Oggi per Luca è ○
2. Jennifer è ○
3. Saverio è ○
4. Jennifer preferisce ○
5. Luca è ○
6. Luca ha ○

○ a. Saverio a Luca
○ b. un lavoro
○ c. una ragazza italiana
○ d. "un uomo"
○ e. un'amica di Luca
○ f. uno studente di Medicina
○ g. un giorno importante

2 **Look at the table and complete the passage which follows with the *articolo indeterminativo*.**

L'articolo indeterminativo

maschile		femminile	
un	palazzo amico	**una**	ragazza studentessa
uno	studente zaino	**un'**	amica edicola

Caro diario,

oggi è .... giornata importante. Aspettiamo a cena Saverio, ... amico di mio fratello. È .... ragazzo molto bello: occhi verdi, capelli castani, alto e intelligente. Purtroppo porta anche la sua fidanzata, Jennifer, ... studentessa di Lettere, ... ragazza alta e bionda.
Ma perché Saverio preferisce .... donna come tante a .... ragazza speciale come me? Forse perché ho solo 15 anni?

3 **Substitute the *articolo determinativo* with the *articolo indeterminativo*.**

1. il ragazzo alto
2. lo stipendio basso
3. l'orario pesante
4. l'attore famoso
5. la domanda difficile
6. il viso bello
7. l'idea interessante
8. la giornata bella
9. il corso d'italiano

8 e 9

4 **Read the diary:** "una giornata importante", "un ragazzo intelligente", "una ragazza speciale". **What do you notice? Look at the table.**

Aggettivi in -e

il libro / la storia — interessante	l'uomo / l'idea — intelligente	il tema / la partita — difficile
i libri / le storie — interessanti	gli uomini / le idee — intelligenti	i temi / le partite — difficili

5 **Make sentences using the nouns and adjectives given, e.g.:** "I ragazzi sono intelligenti".

casa dialogo libri ragazzi gonne anno

verdi difficili importante grande interessante gentili

10

C Di dove sei?

1 Listen to the dialogue of the first meeting between Jennifer and Saverio, protagonists of the previous pages. Underline the expressions which they both use to ask for information.

Jennifer: Scusa, per andare in centro?
Saverio: ...In centro? Eh... prendi il 12 e scendi dopo quattro o cinque fermate...
Jennifer: Grazie!
Saverio: Prego! Sei straniera, vero?
Jennifer: Sì, sono americana, di Chicago.
Saverio: Chicago... e sei qui per lavoro?
Jennifer: No, per studiare. Sono qui da due giorni.
Saverio: Allora ben arrivata! Io mi chiamo Saverio.
Jennifer: Io sono Jennifer, piacere.
Saverio: Piacere. Complimenti, parli bene l'italiano!
Jennifer: Grazie!
Saverio: Ah... e abiti qui vicino?
Jennifer: Sì, in via Verdi.
Saverio: Davvero? Anch'io!
Jennifer: Allora... a presto!
Saverio: A presto! Ciao!

2 Answer the questions.

1. Di dov'è Jennifer?
2. Perché è in Italia?
3. Dove abita?

3 Complete the short dialogues with the missing questions.

- ....?
- Prendi il 12 e scendi all'ultima fermata.

- ....?
- No, sono spagnola.

- ....?
- Sono di Malaga.

- ....?
- No, sono in Italia per lavoro.

- ....?
- In via delle Belle Arti.

Chiedere informazioni	Dare informazioni
Scusa, per arrivare / andare...?	*Prendi l'autobus e...*
Sei straniero, vero?	*Sì, sono francese.*
Di dove sei?	*Sono di Napoli.*
Sei qui per studiare?	*Sono in Italia per motivi di lavoro.*
Da quanto tempo sei qui / studi l'italiano?	*Sono in Italia / studio l'italiano da 2 anni.*
Dove abiti?	*Abito in via Giulio Cesare, al numero 3.*

Role-play

4 ▷ ***A*****: ask your partner:**

- *se è straniero*
- *di dove è*
- *da quanto tempo studia l'italiano*
- *dove abita*

▷ ***B*****: answer the questions *A* asks you.**

11 e 12

D Ciao Maria!

1 **Look at the pictures. What do you think they have in common?**

2 (15) **Listen to the short dialogues and indicate which photos they correspond to. Then listen again and check your answers.**

Salutare

Buongiorno!
Buon pomeriggio!
Buonasera!
Buonanotte!
Ciao! (informale)
Salve! (informale)
Ci vediamo! (informale)
Arrivederci!
ArrivederLa! (formale)

3 **Imagine the dialogues suited to the following situations.**

Role-play

4 ▷ *A*: **greet a friend:**

- *all'università la mattina*
- *quando esci dalla biblioteca alle 15*
- *al bar verso le 18*
- *quando esci dall'ufficio alle 20*
- *dopo una serata in discoteca*

▷ *B*: **reply to** ***A*****'s greeting.**

E Lei, di dov'è?

1 **Read the dialogue and answer the questions.**

signore: Scusi, sa dov'è via Alberti?
signora: No, non abito qui, sono straniera.
signore: Straniera?! Complimenti! Ha una pronuncia tutta italiana! Se permette, di dov'è?
signora: Sono svizzera.
signore: Ah, ed è qui in vacanza?
signora: Sì, ma non è la prima volta che visito l'Italia.
signore: Ah, ecco perché parla così bene l'italiano. Allora... arrivederLa, signora!
signora: ArrivederLa!

1. Cosa chiede il signore? **2. Di dov'è la signora?** **3. Perché è in Italia?**

2 **Read the two dialogues and note the differences.**

a.

Jennifer: Scusa, per andare in centro?
Saverio: ...In centro? Eh... prendi il 12 e scendi dopo quattro o cinque fermate...
Jennifer: Grazie!
Saverio: Prego! Sei straniera, vero?

b.

signore: Scusi, sa dov'è via Alberti?
signora: No, non abito qui, sono straniera.
signore: Straniera?! Complimenti! Ha una pronuncia tutta italiana! Se permette, di dov'è?

In Italian it is possible to use the informal ***tu*** **to a person** (such as in dialogue **a.**) **or the formal** ***Lei*****, the polite form** (such as in dialogue **b.**)**, with the verb conjugated in the third person singular. Is there such a form in your language?**

Role-play

3 ▷ *A*: **starting with** "Scusi, signore / signora / signorina...?" **ask someone you don't know well:**

- *come si chiama*
- *se studia o lavora*
- *quanti anni ha*
- *se abita vicino*

▷ *B*: **reply to** ***A*** **and continue:** "E Lei?". ***A*****: reply.**

F Com'è?

1 **Work in pairs. Look at these words and underline the adjectives.**

bello simpatico capelli lungo occhio azzurro naso biondo

2 **Put the dialogue in order then listen to it.**

1 Com'è Gloria? Bella?

☐ E come sono i nasi alla francese?

☐ Bruna e ha i capelli non molto lunghi. Ha gli occhi azzurri e il naso alla francese.

☐ Come quello di Gloria!

☐ Sì, è alta e abbastanza magra. È anche molto simpatica.

☐ È bionda o bruna?

3 **Fill in the missing adjectives.**

L'aspetto...

è... / non è molto...

....

basso

giovane

vecchio

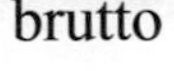

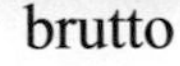

brutto

....

ha i capelli:

corti

....

biondi

....

rossi

ha gli occhi:

....

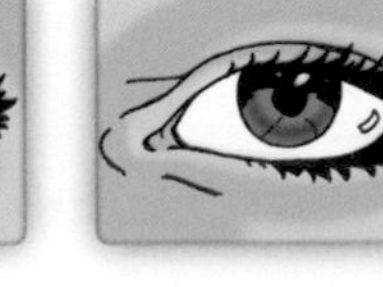

castani

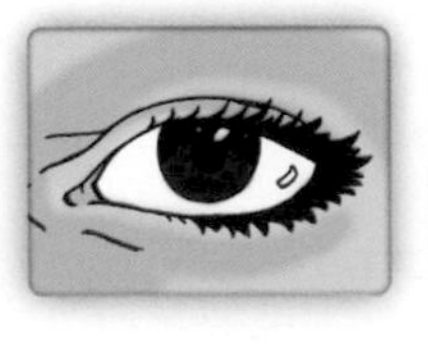

neri

verdi

...e il carattere

è... / sembra...

.... # antip<u>a</u>tico allegro # triste scortese # gentile

13 e 14

4 **A famous face. Complete with these words:** i capelli l'occhio il naso

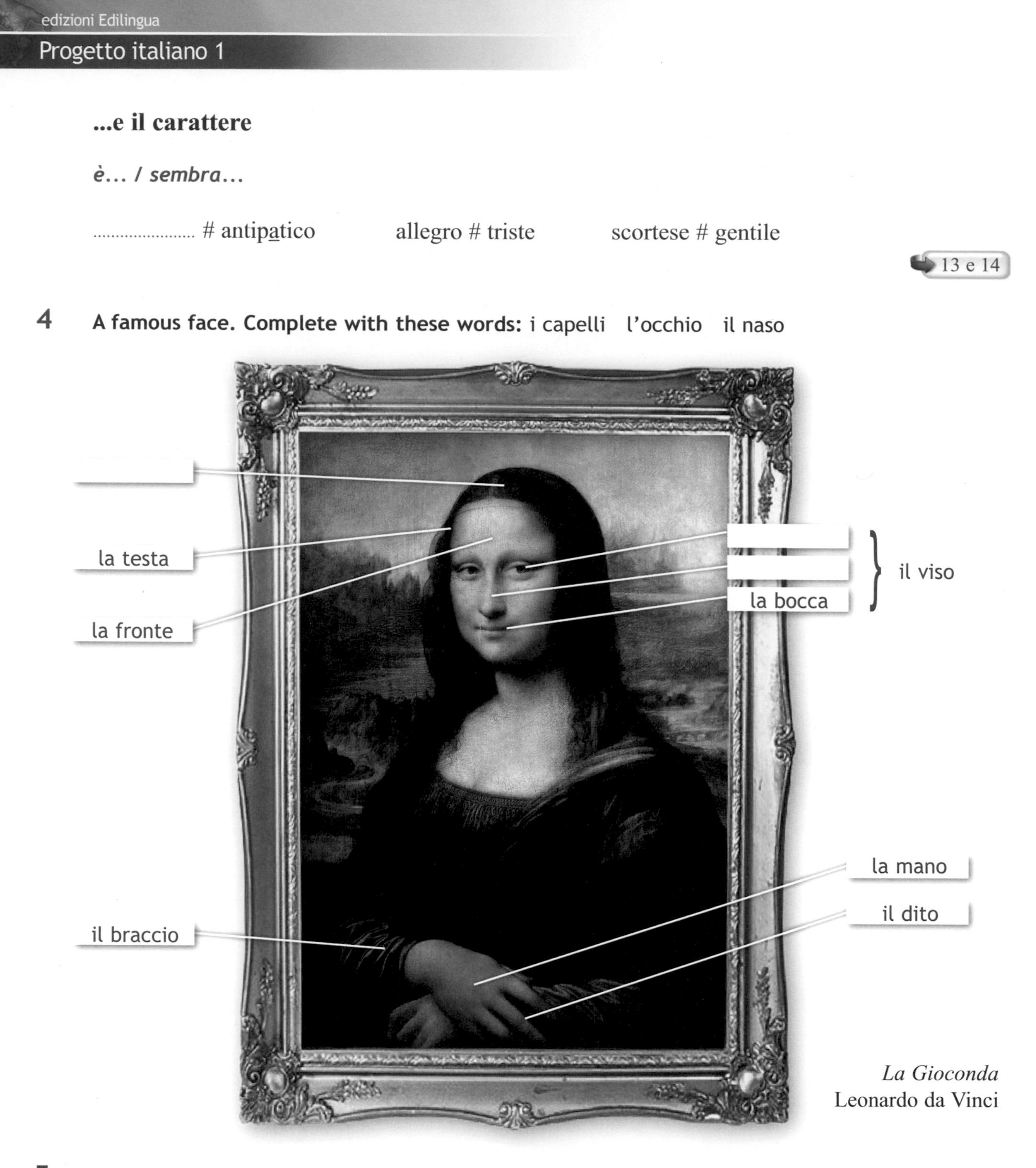

La Gioconda
Leonardo da Vinci

Role-play

5 **In turns, describe:**

a. yourselves
b. a classmate, without naming them: the others must guess who it is!

6 **Scriviamo**

Describe your best friend (name, age, personality, appearance, how long you have been friends, etc.). *(40-50 words)*

Test finale

L'Italia: regioni e città

1. Which Italian cities do you know about? Where are they? What do you know about these cities?
2. Look at the map. How many regions (like Lazio) does Italy have? Which are the 3 biggest regions and which are the 3 smallest?

Autovalutazione

What do you remember from the introduction unit and unit 1?

1. Do you know how to...? Match the two columns.

1. salutare
2. descrivere l'aspetto
3. dire l'età
4. dare informazioni
5. descrivere il carattere

a. *Buonasera Stefania!*
b. *Abitiamo in via Paolo Emilio, 28.*
c. *È una bella ragazza.*
d. *Luca è un tipo allegro.*
e. *Paolo ha 18 anni.*

2. Match the sentences.

1. Parli molto bene l'italiano!
2. Ciao, come stai?
3. Io mi chiamo Giorgio.
4. Scusi, di dov'è?
5. Sei qui in vacanza?

a. No, per studiare l'italiano.
b. Grazie!
c. Sono spagnolo.
d. Piacere, Stefania.
e. Molto bene e tu?

3. Complete.

1. Il contrario di *alto*: ....
2. Due regioni italiane: ....
3. La seconda persona singolare di *capire*: ....
4. La seconda persona plurale di *avere*: ....

4. Find the six hidden words.

a r o n a s o t r i t e t r e n t a p o t t e s t a z u b i o n d e g e n o r a r i o p l i s e d i c i

Check the solutions on page 159. Are you satisfied?

La Fontana di Trevi, Roma

Come passi il tempo libero?

Per cominciare...

1 **Look at the photos. Which of these activities do you like doing in your free time?**

2 **The first dialogue of this unit is an interview of Eros Ramazzotti. What do you know about him? What do you think he does in his free time?**

17 3 **Listen to the interview once (it isn't important to understand everything). What does Ramazzotti speak about?**

In this unit... **(Glossary on page 172)**

1. *...we learn how to invite, how to accept/decline an invitation, to ask and tell what time it is, to ask and say what day it is, to describe an apartment, cardinal numbers from 30 to 2.000 and ordinal numbers (1st, 2nd, etc.)*
2. *...we learn about some irregular verbs in the* presente indicativo, *modal verbs and some prepositions*
3. *...we find information about means of inner-city transport in Italy*

A Un'intervista

The magazine *Max* interviews Eros Ramazzotti.

1 Listen to the dialogue again and indicate the correct sentences.

1. Eros Ramazzotti
   - a. esce molto spesso la sera
   - b. è un tipo sportivo
   - c. non ha molti amici

2. Il fine settimana
   - a. va a Roma
   - b. va sempre all'estero
   - c. va al lago

Max: *Caro Eros, sappiamo tutto sulla tua carriera, ma poco della tua vita privata. Per esempio, che cosa fai nel tempo libero?*

Eros: Eh, purtroppo non ho molto tempo libero. A dire la verità, spesso sto a casa. Ma quando posso, gioco a calcio. Come molti sanno, gioco ancora nella nazionale cantanti. Inoltre, qualche volta esco con gli amici più intimi.

Max: *E dove andate quando uscite?*

Eros: Mah, a mangiare o a bere qualcosa. Quando, invece, non ho voglia di uscire, sono gli amici che vengono da me: ascoltiamo musica o guardiamo un po' la tv.

Max: *E i fine settimana, cosa fai?*

Eros: Come sai io amo molto la natura e quando posso vado al lago di Como dove ho una casa. Se viene qualche amico, facciamo delle gite o andiamo a pescare. Ma spesso sono in tournée all'estero. La settimana prossima, per esempio, vado in Francia e in Spagna per due concerti: uno a Parigi e uno a Barcellona.

2 Read.

Role play as the *Max* journalist and as Eros Ramazzotti and read the interview.

3 Answer the questions.

1. Dove va di solito Eros quando esce?
2. Cosa fa quando resta a casa con gli amici?
3. Come passa il tempo Eros quando va sul lago di Como?

4 Re-read the interview and complete the table.

Presente indicativo
Verbi irregolari (1)

	andare		venire	
io	....		**vengo**	
tu	**vai**	al cinema	**vieni**	a Firenze
lui, lei, Lei	**va**		....	
noi	**andiamo**		**veniamo**	
voi	....	a Roma	**venite**	a casa
loro	**vanno**		....	

5 Complete with the verbs *andare* and *venire*.

1. Ma perché Tiziana e Mauro .... in centro a quest'ora?
2. Ragazzi, stasera noi .... a ballare, voi che fate?
3. Noi non .... con voi al cinema, siamo stanchi.
4. Carla, a che ora .... a scuola la mattina?
5. Quando .... dall'aeroporto Paolo?
6. Domani .... con te a Milano.

Galleria Vittorio Emanuele, Milano

6 **Work in pairs: look for the verbs in the interview to complete the table.**

Presente indicativo
Verbi irregolari (2)

	dare	**sapere**	**stare**
io	do	so	....
tu	dai	....	stai
lui, lei, Lei	dà	sa	sta
noi	diamo	sappiamo	stiamo
voi	date	sapete	state
loro	danno	sanno	stanno
	uscire	**fare**	**giocare**
io	....	faccio	....
tu	esci	fai	giochi
lui, lei, Lei	esce	fa	gioca
noi	usciamo	....	giochiamo
voi	uscite	fate	giocate
loro	escono	fanno	giocano

Note: *The verb* giocare *(like the verb* pagare*) is regular but, as you can see, has some peculiarities. Other verbs are in the Appendix on page 157.*

7 **Answer the questions, as shown.**

Cosa fai stasera? *(uscire / con Paolo)* ➩ *Esco con Paolo.*

1. Qual è la prima cosa che fate la mattina? *(fare / colazione)*
2. Perché dite questo? *(perché / sapere / la verità)*
3. Chi paga questa volta? *(oggi / noi)*
4. Come stanno i tuoi genitori? *(stare / molto bene)*
5. Che fa Dino stasera? *(uscire / con gli amici)*
6. Cosa fanno i ragazzi dopo la lezione? *(giocare / a calcio)*

3 - 5

B Vieni con noi?

1 Read and listen to the short dialogues. (18)

- Alessio, vieni con noi in discoteca stasera?
- Purtroppo non posso, devo studiare.
- Ma dai, oggi è venerdì!
- Non è che non voglio, è che davvero non posso!

- Che fai domani? Andiamo al mare?
- Sì, volentieri! Con questo bel tempo non ho voglia di restare in città.

- Carla, domani pensiamo di andare a teatro. Vuoi venire?
- Certo! È da tempo che non vado a teatro!

- Senti, che ne dici di andare alla Scala stasera? Ho due biglietti!
- Mi dispiace. Purtroppo non posso. Mia madre non sta molto bene e voglio restare con lei.

2 Complete with the expressions from point 1.

- Io e Maria pensiamo di andare al cinema. ....?
- .... È un'ottima idea.

- ....?
- Mi dispiace, non posso.

- ....?
- Volentieri!

- Ho due biglietti per il concerto di Bocelli. Ci andiamo?
- ....

- Che ne dici di andare a Venezia per il fine settimana?
- ....

Invitare	Accettare un invito	Rifiutare un invito
Vieni...?	*Sì, grazie! / Con piacere!*	*Mi dispiace, ma non posso.*
Vuoi venire...?	*Certo! / Volentieri!*	*Purtroppo non posso.*
Andiamo...?	*D'accordo!*	*No, grazie, devo...*
Che ne dici di...?	*Perché no?*	
	È una bella idea.	

Role-play

3 ▷ ***A*: look at the drawings and invite *B*:**

a mangiare la pizza

ad una mostra d'arte

a fare le vacanze insieme

a fare spese insieme

un fine settimana al mare

a guardare la tv

▷ ***B*: accept or decline *A*'s invitations.**

C Scusi, posso entrare?

1 **Look at the sentences.**

2 **Complete the table.**

I verbi modali

Potere	
Scusi, **posso** entrare? Gianna, ... aspettare un momento? Professore, **può** ripetere, per favore? Purtroppo non **possiamo** venire a Firenze con voi. Ragazzi, **potete** entrare, prego. Marta e Luca non **possono** uscire stasera.	**+ infinito**
Volere	
Sai che cosa **voglio** fare oggi? Una gita al mare. Ma perché non .... restare a pranzo con noi? Ma dove **vuole** andare a quest'ora Paola? Stasera noi non **vogliamo** fare tardi. **Volete** bere un caffè con noi? Secondo me, loro non **vogliono** venire.	**+ infinito**
Dovere	
Stasera **devo** andare a letto presto. Per l'ospedale .... girare a destra. Domani Gianfranco **deve** fare un viaggio importante. Secondo me, **dobbiamo** girare a sinistra. Quando **dovete** partire per gli Stati Uniti? I ragazzi **devono** tornare a casa presto.	**+ infinito**

3 **Answer the questions, as shown.**

Perché non vieni con noi? *(dovere studiare)*
➪ *Perché devo studiare.*

1. Perché Gianna è triste? *(non potere venire a Genova con noi)*
2. Cosa fai sabato mattina? *(volere andare in montagna)*
3. A che ora dovete tornare a casa? *(dovere tornare alle sei)*
4. Vengono anche Dino e Matteo? *(purtroppo non potere)*
5. Perché Carla studia tante ore? *(volere superare l'esame)*
6. Ma dove va Patrizia? *(dovere tornare a casa presto)*

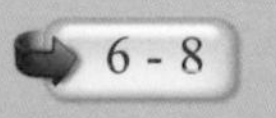
6 - 8

Il porto di Genova

D Dove abiti?

1 **Read the dialogue between Gianni and Carla and answer the questions.**

Gianni: Ciao Carla, come va?
Carla: Oh, ciao Gianni. Bene, grazie e tu?
Gianni: Bene. Senti, sabato sera organizzo una piccola festa a casa mia. Vieni?
Carla: Sabato sera... Sì, certo! ...Solo che non so dove abiti.
Gianni: In via Giotto, 44.
Carla: ...Via Giotto... Dov'è, in centro?
Gianni: No, è in periferia, vicino allo stadio. Se vieni in autobus, prendi il 60.
Carla: Ah, il 60. Ma è una casa o un appartamento?
Gianni: Un appartamento al quinto piano.
Carla: Con ascensore spero! E com'è?
Gianni: È comodo e luminoso, con un grande balcone.
Carla: Allora, sei fortunato. Il mio appartamento è piccolo: camera da letto, cucina e bagno. E pensare che pago 400 euro d'affitto. Tu, paghi molto?
Gianni: 650 euro al mese, ma ne vale la pena. Vedi, il palazzo è nuovo e moderno.

1. Dove abita Gianni?
2. Com'è il suo appartamento?
3. Com'è l'appartamento di Carla?
4. Quanto pagano d'affitto i due ragazzi?

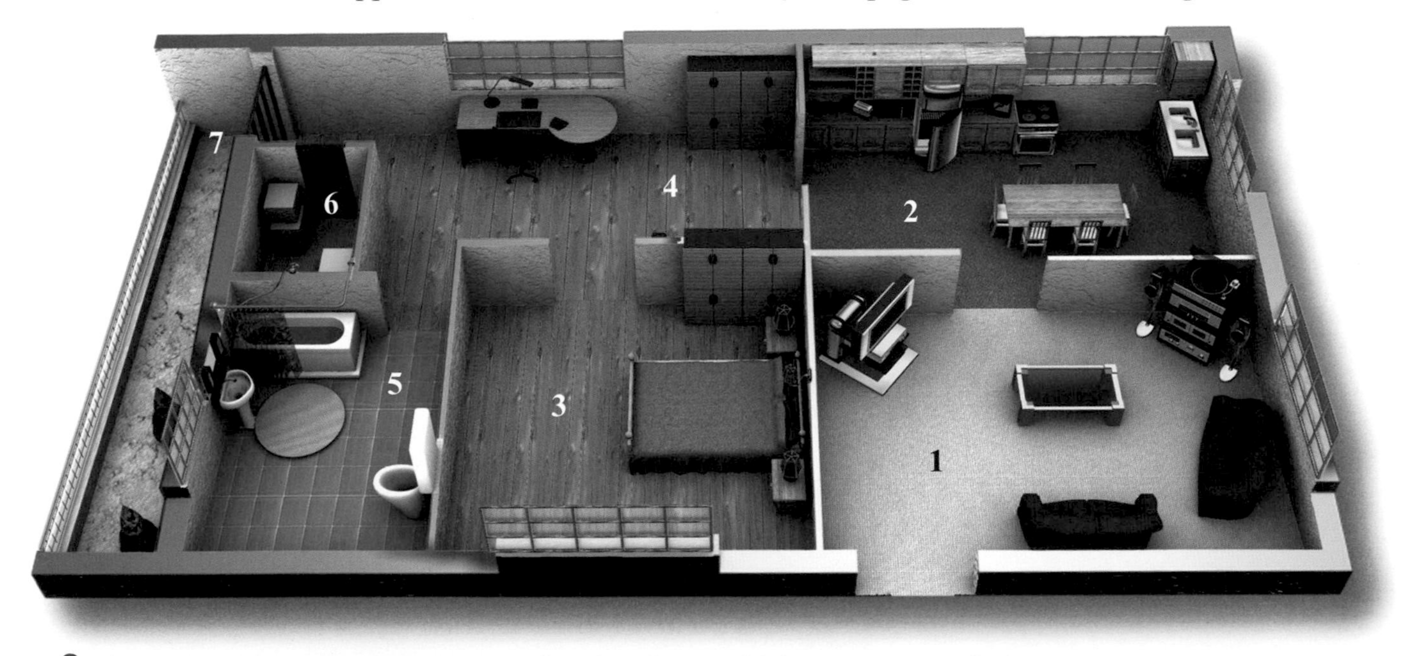

2 **Look at Gianni's apartment and write down which rooms are missing.**

1. soggiorno (salotto) 2. .... 3. ....
4. studio 5. .... 6. ripostiglio 7. balcone

3 **Describe your home or your ideal house: where it is, how many rooms it has, what floor it is located on, if it is big, comfortable, brightly lit, modern, etc.**

4 Cardinal numbers 30 - 2.000

30	trenta	**300**	trecento
31	trentuno	**400**	quattrocento
40	quaranta	**500**	cinquecento
50	cinquanta	**600**	seicento
60	sessanta	**700**	settecento
70	settanta	**800**	ottocento
80	ottanta	**900**	novecento
90	novanta	**1.000**	mille
100	cento	**1.900**	millenovecento
200	duecento	**2.000**	duemila

Ordinal numbers

1°	primo
2°	secondo
3°	terzo
4°	quarto
5°	quinto
6°	sesto
7°	settimo
8°	ottavo
9°	nono
10°	decimo

Note: from 11 onward all numbers end in *-esimo*: *undicesimo* (Appendix on page 158)

9

E Vado in Italia.

1 Look at some sentences in this unit and then study the following table:

"vado in Francia", "è in centro", "se vieni in autobus"

Le preposizioni (1)

vado (sono)	**in**	Italia, Spagna, Sicilia centro, ufficio, montagna, banca, città, farmacia, vacanza autobus, macchina, treno
	a	Roma, Parigi, Londra casa, letto, teatro, cena, scuola, una festa studiare, fare spese, ballare, lavorare, piedi
	al	cinema, mare, bar, ristorante, primo piano
	da	un amico, Antonio
vengo	**in**	Italia, Germania, aereo, treno
	a	Pisa, casa, teatro
	da	Siena, Napoli, Nicola, te, solo
parto	**da**	Torino, Perugia
	per	Ancona, Barcellona l'Italia, la Francia, gli Stati Uniti
	in	aereo, macchina, treno, autobus, ottobre

What other prepositions do you know?

2 **Answer the questions, as shown.**

Dove andate stasera? *(cinema)* ⇨ *Andiamo al cinema.*

1. Con che cosa vai a Roma? *(aereo)*
2. Dove dovete andare domani? *(centro)*
3. Dove vanno i ragazzi a quest'ora? *(discoteca)*
4. Che fai adesso? Dove vai? *(andare casa)*
5. Da dove viene Lucio? *(Palermo)*
6. Dove va Franco? *(Antonio)*

10 - 13

F Che giorno è?

1 **Work in pairs. Listen to the dialogue and write down Silvia's plans on the 3rd, the 5th and the 6th of the month.**

19

	2 lunedì	3 martedì	4 mercoledì	5 giovedì	6 venerdì
7					
8					
9					
10					
11	*spesa!*				
12					
13					
14					
15					
16	*lezione*		*appunta-*		
17	*d'inglese*		*mento con*		
18			*Luca*		
19					
20	*palestra*				

7 sabato
gita in montagna

8 domenica
dormire!

Role-play

2 **Imagine a dialogue similar to the previous one and speak about what you do each day of the week.**

Look:
lunedì = lunedì prossimo
il lunedì = ogni lunedì

3 **Parliamo**

1. Hai abbastanza tempo libero o no e perché?
2. Come passi il tuo tempo libero? Dove vai quando esci?

14

G Che ora è? / Che ore sono?

1 **Look at the watches.**

Sono le nove

Sono le undici e un quarto

Sono le sette meno venti

È l'una

18:35 — *Sono le diciotto e trentacinque*

12:00 — *È mezzogiorno*

24:00 — *È mezzanotte*

20:50 — *Sono le venti e cinquanta*

È *l'una* **e / meno** *dieci*	**Sono le** *quattro* **e / meno** *venti*
È *mezzogiorno* **e / meno** *un quarto*	**Sono le** *dodici* **e / meno** *cinque*
È *mezzanotte* **e** *mezzo/a (trenta)*	**Sono le** *venti* **e** *trenta*

2 **Draw the hands onto the clocks.**

Sono le tre e venti

Sono le otto meno un quarto

È l'una e mezzo

Sono le due meno cinque

3 **Make questions and answers, as shown.**

Scusi, signora, che ore sono? *(8:40)* ⇨
Sono le nove meno venti / Sono le otto e quaranta.

15 Test finale

I mezzi di trasporto urbano*

1 Read the passage and choose the correct sentences.

In Italia i mezzi di trasporto urbano più usati sono l'autobus e il tram, mentre a Roma, a Milano, a Napoli e a Genova c'è anche il metrò. È possibile comprare biglietti in tabaccheria* e al bar e con un biglietto usare più di un mezzo. Nelle stazioni della metropolitana, ma anche ad alcune fermate dell'autobus, ci sono macchinette automatiche per l'acquisto dei biglietti.

In genere i passeggeri* dell'autobus e del tram devono convalidare (timbrare) il biglietto all'inizio della corsa, mentre le macchinette per la convalida del biglietto del metrò si trovano nelle stazioni.

1. Hanno il metrò
   - ☐ a. molte città italiane
   - ☐ b. poche città
   - ☐ c. solo Roma
2. È possibile comprare il biglietto
   - ☐ a. in tabaccheria
   - ☐ b. sul metrò
   - ☐ c. su Internet
3. In genere un passeggero dell'autobus deve convalidare il biglietto
   - ☐ a. prima di salire
   - ☐ b. quando scende
   - ☐ c. appena sale

2 Match the descriptions to the photos. There is one extra photo!

1. autobus, 2. tram, 3. fermata dell'autobus, 4. stazione del metrò, 5. linea del metrò, 6. convalida del biglietto

3 **Read the passage and check (✓) the information that was given in the text.**

Molti italiani preferiscono usare l'auto e non i mezzi pubblici. Quindi, in alcune grandi città italiane il traffico è un problema grave. A causa delle tante macchine l'atmosfera non è tanto pulita ed è molto difficile trovare parcheggio*. Per fortuna, sempre più persone preferiscono usare il motorino e la bicicletta per andare a scuola, all'università o al lavoro. Infine, c'è anche il taxi (o tassì), un mezzo ovviamente più costoso.

☐ 1. Gli italiani usano l'auto per fare gite in campagna.
☐ 2. Non è facile trovare parcheggio nelle grandi città.
☐ 3. Molti italiani usano la bicicletta o il motorino.
☐ 4. Le grandi città hanno gravi problemi.
☐ 5. I mezzi di trasporto urbano offrono ottimi servizi.
☐ 6. Nelle grandi città non è facile trovare un taxi.

Una domenica senza macchine nel centro di Roma.

4 Parliamo

1. Come sono i mezzi di trasporto urbano del vostro paese/della vostra città? Da voi la gente usa più l'auto o i mezzi?
2. Tu quale mezzo usi per andare al lavoro, a scuola ecc.? Perché?
3. Sono costosi i mezzi pubblici nel vostro paese? Quanto costa un biglietto?

5 Scriviamo

1. Write a letter to an Italian friend and tell him/her how you spend your free time. *(60-80 words)*
2. Describe your house: where it is located, what it is like, etc. *(60-80 words)*

Glossary: urbano: city-, town-, urban; tabaccheria: tobacco shop; passeggero: passenger; parcheggio: parking, parking area.

Autovalutazione
What do you remember from units 1 and 2?

1. Do you know how to...? Match the two columns.

1. invitare
2. dire l'ora
3. accettare un invito
4. descrivere l'abitazione
5. rifiutare un invito

a. *Grazie, ma purtroppo non posso.*
b. *Andiamo insieme alla festa di Marco?*
c. *Ha un bagno e due camere da letto.*
d. *Certo, perché no?*
e. *Sono le tre e venti.*

2. Match the questions to the answers.

1. Di dove sei?
2. Quanti anni ha Paolo?
3. Dove abiti?
4. Che tipo è?
5. Dove lavori?

a. In via San Michele, 3.
b. È molto simpatico.
c. Di Roma.
d. In un'agenzia di viaggi.
e. 18.

3. Complete.

1. 4 preposizioni: ....
2. Prima del *sabato*: ....
3. Dopo *sesto*: ....
4. La prima persona singolare di *volere*: ....
5. La prima persona plurale di *fare*: ....

4. Find the six hidden words, horizontally and vertically.

v	i	o	s	e	s	t	o	p	u
e	x	o	c	c	h	i	o	z	e
n	a	f	f	i	t	t	o	a	n
g	r	a	d	u	e	m	i	l	a
o	e	c	o	m	o	d	o	s	t

Check the solutions on page 159.
Are you satisfied?

Il Ponte Vecchio,
Firenze

Scrivere e telefonare

Unità 3

Per cominciare...

1 **Work in pairs. Match the words to the pictures.**

a. posta elettronica b. busta c. posta d. francobollo
e. buca delle lettere f. cellulare

2 **What means of communication do you use most often?**

3 **Listen to the dialogue and indicate the sentences that were in it.** (20)

1. Nicola non riesce a parlare con la sua famiglia al telefono.
2. Orlando consiglia a Nicola di scrivere una lettera.
3. Orlando sa dov'è un internet point.
4. Nicola sa già come fare per mandare un pacco negli Stati Uniti.
5. Nicola ha molti problemi personali.
6. È possibile comprare francobolli in tabaccheria.

In this unit... **(Glossary on page 174)**

1. ...we learn how to ask and give information about the time, to locate objects, to express uncertainty and doubt, to express possession, how to thank and how to reply when being thanked, to write an e-mail or a letter, numbers from 1.000 to 1.000.000, the names of the months and the seasons
2. ...we learn about the preposizioni articolate *and their use, the* articolo partitivo, c'è/ci sono, *the* possessivi *(first part)*
3. ...we find information about postal and phone service in Italy

A Perché non scrivi un'e-mail?

1 Listen and read the dialogue to confirm your answers to the previous activity.

Nicola: Uffa, ho tanto da raccontare alla mia famiglia, ma quando chiamano loro dagli Stati Uniti io ho lezione e quando posso telefonare io loro dormono!

Orlando: Perché non scrivi un'e-mail?

Nicola: Giusto! Ma c'è un internet point qua vicino?

Orlando: Certo... è proprio accanto all'*Odeon*.

Nicola: Il cinema?

Orlando: Appunto.

Nicola: Perfetto! ...Ah no, aspetta, ho anche un altro problema: devo spedire dei libri alla mia ragazza.

Orlando: E perché è un problema?

Nicola: Perché non so come fare... dov'è la posta...

Orlando: Beh, se il pacco è piccolo, forse non è necessario andare alla posta. Vai in tabaccheria, compri una busta grande, i francobolli e poi imbuchi tutto in una cassetta per le lettere.

Nicola: Una busta? Mah... non so, sono quattro libri.

Orlando: Allora meglio un pacco, almeno credo. Devi andare alla posta e chiedere informazioni.

Nicola: Ma dov'è?

Orlando: La posta? ...È vicino al Duomo, in via delle Grazie.

2 **Read the dialogue in pairs. Then answer the questions.**

1. Qual è il problema di Nicola?
2. Dove si trova l'internet point che conosce Orlando?
3. Cosa deve fare Nicola per spedire una busta all'estero?
4. E per spedire 4 libri?

3 **Complete these sentences from the dialogue with the missing prepositions.**

...quando chiamano loro .... Stati Uniti...

...è proprio accanto .... *Odeon*.

...devo spedire .... libri alla mia ragazza.

...forse non è necessario andare .... posta.

...poi imbuchi tutto .... una cassetta per le lettere.

...È vicino .... Duomo, in via .... Grazie.

4 **Work in pairs. Complete the table.**

Le preposizioni articolate

a+il = **al** a+la = ... a+lo = **allo** a+i = **ai** a+le = **alle** a+gli = **agli** a+l' = ...	in+il = **nel** in+la = ... in+lo = **nello** in+i = **nei** in+le = **nelle** in+gli = ... in+l' = **nell'**
di+il = **del** di+la = **della** di+lo = **dello** di+i = ... di+le = ... di+gli = **degli** di+l' = **dell'**	da+il = **dal** da+la = **dalla** da+lo = ... da+i = **dai** da+le = **dalle** da+gli = **dagli** da+l' = **dall'**
su+il = **sul** su+la = **sulla** su+lo = **sullo** su+i = ... su+le = **sulle** su+gli = **sugli** su+l' = **sull'**	**But:** Arriva **con il** treno delle otto. (in spoken language you can also say ***col*** *treno*) Una cassetta **per le** lettere. **Fra gli** studenti c'è anche un brasiliano.

5 Answer the questions, as shown.

Dove vai? *(da/medico)* ➩ *Dal medico.*

1. Da dove viene Alice?
(da/Olanda)

2. Marta, dove sono i guanti?
(in/cassetto)

3. Di chi sono questi libri?
(di/ragazzi)

4. Dove sono le riviste?
(su/tavolo)

5. Vai spesso al cinema?
(una volta a/mese)

6. Sai dove sono le chiavi?
(in/borsa)

1 - 5

6 Notice the difference between *preposizioni semplici* and *preposizioni articolate.*

	in Italia,		**nell'**Italia del Sud.
	in biblioteca,		**nella** biblioteca comunale.
	a teatro,		**al** teatro *Verdi*.
va	**in** chiesa,	**e in particolare**	**nella** chiesa di S. Maria delle Grazie.
	in banca,		**alla** Banca Commerciale.
	in ufficio,		**nell'**ufficio del direttore.
	in treno,		**con il** treno delle 10.

6 - 9

7 Look at these sentences:

Devo spedire **dei** libri alla mia ragazza. / Stasera vengono a cena **degli** amici.

What do you think the blue words in these two sentences mean? Look at the table which follows to check your answers.

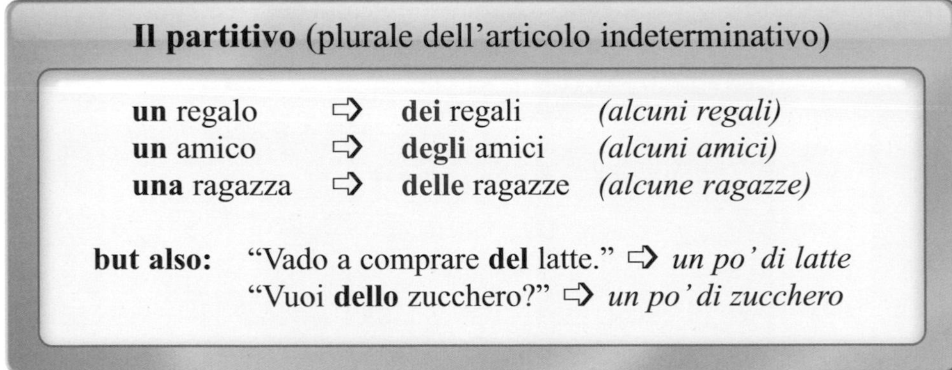

Il partitivo (plurale dell'articolo indeterminativo)

un regalo	⇨	**dei** regali	*(alcuni regali)*
un amico	⇨	**degli** amici	*(alcuni amici)*
una ragazza	⇨	**delle** ragazze	*(alcune ragazze)*

but also: "Vado a comprare **del** latte." ⇨ *un po' di latte*
"Vuoi **dello** zucchero?" ⇨ *un po' di zucchero*

8 **Work in pairs and build sentences with the *articolo partitivo*.**

10

B A che ora?

1 **Listen and match the short dialogues to the photos.** (21)

a.
- Scusi, a che ora arriva il prossimo treno da Firenze?
- Alle 14.45.
- E a che ora parte l'Intercity per Milano?
- Alle 15.
- Grazie!
- Prego!

b.
- Mauro, sai a che ora chiudono le banche?
- Non sono sicuro, ma penso all'una e mezza.
- E sono aperte anche il pomeriggio?
- Credo dalle tre alle cinque.

c.
- Scusi, a che ora posso trovare il dottor Riotti?
- La mattina dalle 9 alle 13.
- E nel pomeriggio?
- Viene verso le 16 e rimane fino alle 20.

2 Role-play

▷ ***A*: ask your partner:**

- *a che ora esce di casa la mattina*
- *a che ora pranza/cena*
- *quando guarda la tv*
- *a che ora esce il sabato sera*
- *qual è l'orario di apertura dei negozi nel suo paese*

▷ ***B*: answer *A*'s questions.**

3 **Look at the photos and say what time certain shops and services in Italy open and close.**

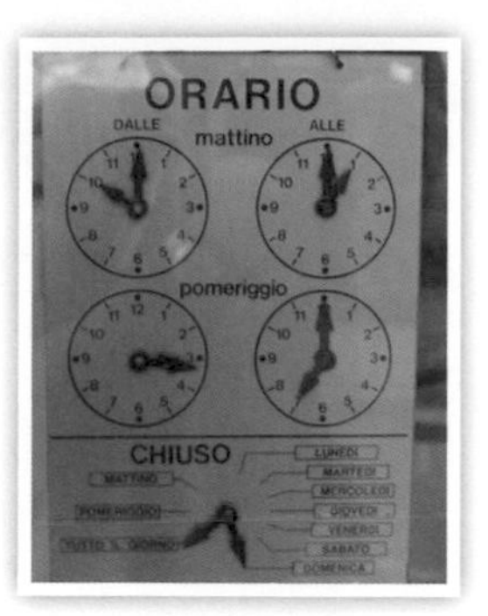

a. biblioteca

b. negozio di abbigliamento

c. farmacia

d. ufficio postale

11 e 12

C Dov'è?

1 **Work in pairs. Match the sentences to the images.**

	1. Dove sono gli abiti? - Dentro l'armadio.
	2. Dov'è il televisore? - Accanto al camino.
a	3. Le sedie? - Intorno al tavolo.
	4. Dov'è la libreria? - È dietro la scrivania.
	5. Il tavolino? - Davanti alla lampada.
	6. Dov'è la maschera? - È sulla parete.
	7. Il divano? - Tra le poltrone.
	8. Dov'è il tappeto? - Sotto il tavolino.
	9. Il quadro? - Sopra il camino.
	10. Dov'è la pianta? - Vicino alla finestra.

2 Look at the photo and choose the right words for each sentence.

1. Il divano è *tra il / sotto il* tavolino e la finestra.
2. Il tavolino è *dietro il / davanti al* camino.
3. La finestra è *intorno al / dietro il* divano.
4. Le poltrone sono *a destra del / sopra il* tavolino.
5. *Sopra il / A sinistra del* camino c'è uno specchio.
6. *Sul / Accanto al* divano ci sono dei cuscini.

3 Look at the last two sentences of the previous exercise. When do we use *c'è* and when *ci sono*? Complete the sentences.

- Pronto! Buongiorno, signora Alessi! Sono Piero, ... Matteo?
- Buongiorno, Piero! No, Matteo non c'è. Deve essere ancora all'università.

- È vero che domani non .... autobus?
- Sì, ... uno sciopero generale e la mia macchina è dal meccanico!

- Ciao, Paolo! Sei in ritardo, sai!
- Sì, lo so, ma oggi .... veramente un traffico tremendo: ci sono troppe auto in centro.

13 - 16

4 **Look at the two pictures and say what the differences are. Example:** "Nell'immagine *A* il vaso è a destra del divano, mentre nella *B* è a sinistra", "Nell'immagine *B* c'è una finestra mentre nella *A* non c'è".

D Mah, non so...

1 **Work in pairs. Can you put the dialogue in order?**

1	*Mario:*	C'è qualcosa di interessante in tv stasera?
	Mario:	Probabilmente alle 9. Ma su quale canale?
	Mario:	Andiamo da Stefano a vedere la partita?
	Mario:	È vero! C'è Juve-Milan! Sai a che ora comincia?
	Gianni:	Beh, è ancora presto, magari più tardi...
	Gianni:	Non sono sicuro. Penso alle 8... o è alle 9?
	Gianni:	Mah, non so! C'è una partita di calcio, almeno credo.
	Gianni:	Forse su Canale 5.

2 **What expressions do Mario and Gianni use to express uncertainty and doubt?**

....

....

3 *Role-play*

▷ *A*: **ask your partner:**

- *se vuole uscire con te domani*
- *a che ora pensa di tornare a casa*
- *quanto costa un caffè in Italia*
- *che regalo vuole per il suo compleanno*

▷ *B*: **answer *A*'s questions expressing uncertainty and doubt.**

17

E Di chi è?

1 **Look at the drawing.**

Di chi è questa rivista? È tua, Gino?

No, non è mia, ...è sua!

2 **Look at the table and complete the sentences.**

I possessivi (1)

io	il mio	la mia
tu	il tuo compleanno	la tua macchina
lui/lei	il suo	la sua

The rest regarding possessives in Unit 6 (*The Italian Project 1b*).

1. - Carlo, è tuo questo giornale? - Sì, è ....
2. Giulia, posso prendere il .... motorino domani?
3. Marta viene con il .... fidanzato stasera.
4. Non conosco bene Pietro, perciò non vado alla .... festa.
5. Quanto è bella la .... casa, Gianni! Però cinquecentomila euro sono molti!
6. In agosto vado per un mese da una .... amica in Sicilia.

3 **Look at the drawings and with the use of *possessivi*, build sentences like** "La tua penna è blu".

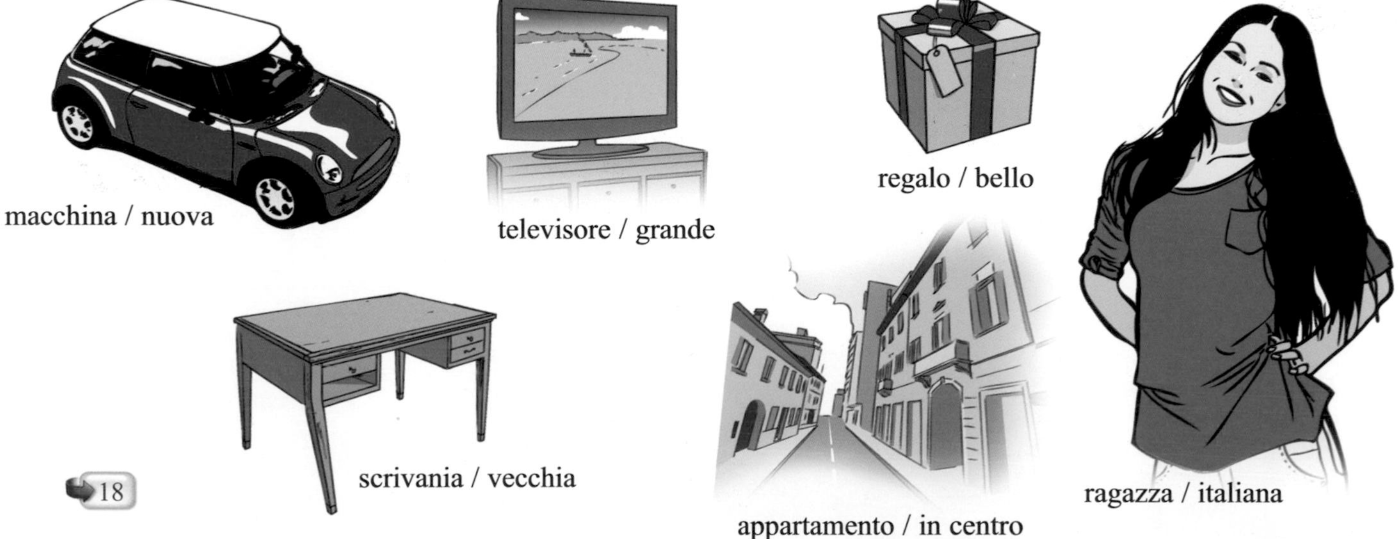

18

F Grazie!

22

1 Listen to the short dialogues.

a.
- Scusi, signora, sa a che ora parte il treno?
- Fra dieci minuti, credo.
- Grazie mille!
- Prego!

b.
- Giulia, puoi portare una delle due valigie?
- Certo, nessun problema.
- Grazie!
- Figurati!

c.
- Ecco gli appunti per il tuo esame.
- Grazie tante, Silvia!
- Di niente!

2 Complete the following short dialogues.

- Scusi, signore, sa dov'è la Banca Intesa?
- Sì, è in via Manzoni, accanto alla posta.
- ....
- ....

- ....?
- Sono le 9.
- Grazie!
- ....

- Scusa, a che ora aprono i negozi oggi?
- ....
- ....
- Non c'è di che!

Ringraziare	Rispondere ad un ringraziamento
Grazie!	*Prego!*
Grazie tante!	*Di niente!*
Grazie mille!	*Figurati! (informale)*
Ti ringrazio!	*Non c'è di che!*

19

G Vocabolario e abilità

1 **The months and seasons. Try to complete the table with the months given.**

autunno	inverno	primavera	estate
settembre	....	marzo	giugno
....	gennaio	....	luglio
novembre	febbraio	maggio	....

agosto *dicembre* *aprile* *ottobre*

20

2 **Numbers from 1.000 to 1.000.000. Complete the table.**

1.000 mille	.... diecimilacinquecento
.... millenovecentonovanta	**505.000** cinquecentocinquemila
2.000 duemila	**1.000.000** un milione
6.458 seimilaquattrocentocinquantotto	**4.300.000** quattro milioni trecentomila

3 **Give the information requested, as shown.**

Il prezzo del nuovo modello della *Lancia*? *(19.500 €)* ➪ diciannovemilacinquecento euro.

1. L'anno della scoperta dell'America? *(1492)*
2. Gli abitanti di Roma? *(2.900.000)*
3. Il prezzo di uno scooter *Aprilia*? *(2.800 €)*
4. L'anno della tua nascita? *(...)*
5. Il costo di una villa sul lago di Como? *(900.000 €)*
6. Il prezzo dell'auto che sogni di comprare? *(32.900 €)*

21

23 **4** **Ascolto** Workbook (p. 123)

5 **Scriviamo**

Imagine you are Nicola, the main character in the first dialogue of the unit. Write an e-mail to your family to explain why you prefer e-mail to telephone and briefly give your news. *(60-70 words)*

Test finale

Scrivere un'e-mail o una lettera (informale/amichevole)...

- *Caro (Carissimo) Alberto,*

....

- *Ti bacio! / Ti abbraccio*
- *Tanti baci! / Bacioni! / Saluti*
- *Il/La tuo/a amico/a*
- *A presto!*
- *Tuo/a*

Giulio/a

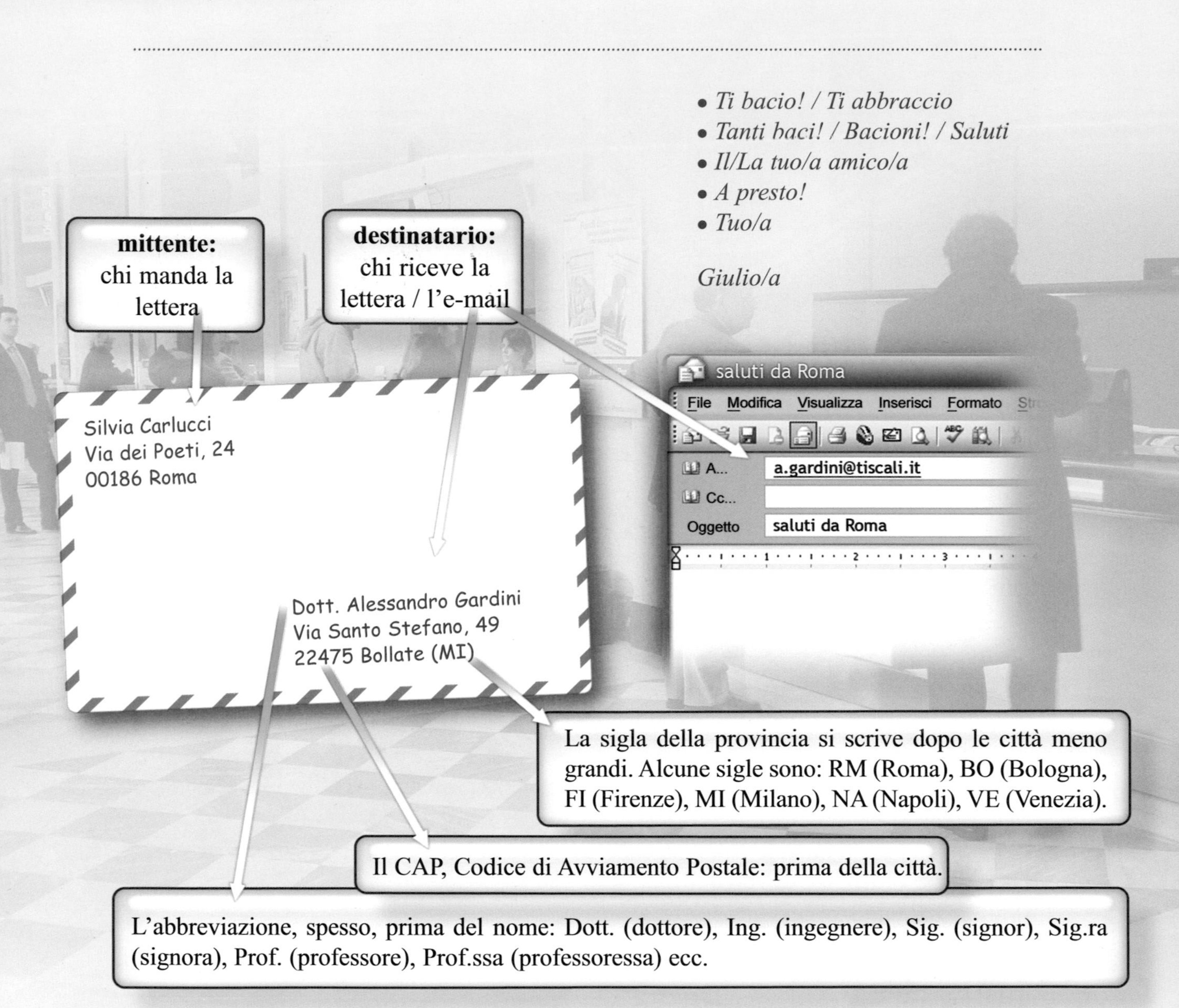

La sigla della provincia si scrive dopo le città meno grandi. Alcune sigle sono: RM (Roma), BO (Bologna), FI (Firenze), MI (Milano), NA (Napoli), VE (Venezia).

Il CAP, Codice di Avviamento Postale: prima della città.

L'abbreviazione, spesso, prima del nome: Dott. (dottore), Ing. (ingegnere), Sig. (signor), Sig.ra (signora), Prof. (professore), Prof.ssa (professoressa) ecc.

Alcune espressioni utili per scrivere

Esprimere conseguenza:
Devo, quindi... / Per riuscire, dunque, a...

Esprimere un'opposizione:
Tu, invece, credi che... / Lui, comunque, non vuole... / Al contrario, secondo me...

Fare un'aggiunta:
Inoltre, voglio dire... / In più, è importante... / Non solo..., ma... / D'altra parte,...

Concludere una lettera, un argomento:
Concludendo,... / Riassumendo,... / Infine,... / In altri termini,... / Così,... / In breve,... /

...e telefonare.

In Italia per fare una chiamata urbana o interurbana* bisogna digitare prima il prefisso della città desiderata. Il prefisso di Milano è 02, di Roma 06, di Bologna 051 e così via. Per telefonare dall'estero in Italia bisogna fare lo 0039, il prefisso della città e il numero della persona desiderata.
Generalmente, per non disturbare, un italiano evita di telefonare a casa d'altri dopo le 10 di sera e prima delle 8 del mattino.
L'Italia è tra i paesi con la più alta percentuale* di cellulari* nel mondo: quasi tutti gli italiani hanno il telefonino, che usano molto spesso. Inoltre, seguono molto da vicino tutte le nuove tecnologie relative alle telecomunicazioni.
Come in tanti altri paesi, ci sono alcuni numeri utili sia ai cittadini italiani che ai turisti. I numeri più importanti sono:

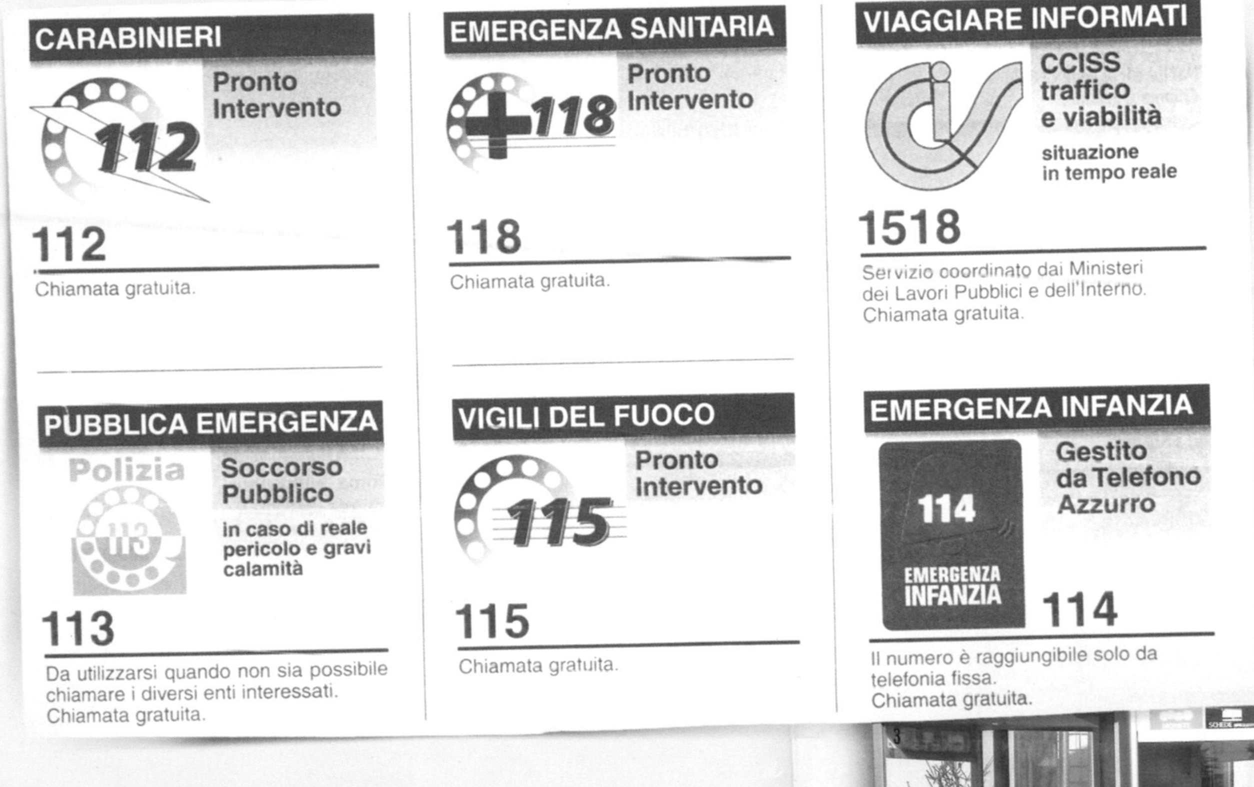

CARABINIERI
Pronto Intervento
112
Chiamata gratuita.

EMERGENZA SANITARIA
Pronto Intervento
118
Chiamata gratuita.

VIAGGIARE INFORMATI
CCISS traffico e viabilità
situazione in tempo reale
1518
Servizio coordinato dai Ministeri dei Lavori Pubblici e dell'Interno.
Chiamata gratuita.

PUBBLICA EMERGENZA
Polizia
Soccorso Pubblico
in caso di reale pericolo e gravi calamità
113
Da utilizzarsi quando non sia possibile chiamare i diversi enti interessati.
Chiamata gratuita.

VIGILI DEL FUOCO
Pronto Intervento
115
Chiamata gratuita.

EMERGENZA INFANZIA
Gestito da Telefono Azzurro
114 EMERGENZA INFANZIA
114
Il numero è raggiungibile solo da telefonia fissa.
Chiamata gratuita.

Answer the questions.

1. Qual è il prefisso di Milano per chi chiama dall'estero?
2. Quale numero bisogna chiamare quando c'è un incendio?
3. Ci sono differenze o somiglianze tra i servizi telefonici e le abitudini relative al telefono in Italia e nel vostro paese?

Per telefonare da una cabina telefonica* è necessaria una scheda telefonica, che è possibile comprare in tabaccheria o dal giornalaio.

Glossary: urbana/interurbana: local call/long-distance call; percentuale: percentage; cellulare/telefonino: mobile phone; emergenza: emergency; vigili del fuoco: fire brigade; infanzia: childhood; cabina telefonica: telephone booth.

Autovalutazione
What do you remember from units 2 and 3?

1. Do you know how to...? Match the two columns.

1. chiedere l'ora
2. esprimere incertezza, dubbio
3. rispondere ad un ringraziamento
4. chiudere una lettera
5. ringraziare

a. *Grazie tante del regalo!*
b. *Forse vengo anch'io.*
c. *Ma figurati!*
d. *Scusi, che ore sono?*
e. *Tanti saluti!*

2. Match the sentences.

1. Vuoi venire con noi al cinema?
2. Quando posso trovare l'avvocato?
3. Dov'è il bagno?
4. Com'è la casa di Stella?
5. Ti ringrazio!

a. Non c'è di che!
b. Bella, grande e luminosa.
c. Ogni giorno dalle 10 alle 18.
d. Con piacere!
e. Di fronte alla camera da letto.

3. Complete.

1. Due mezzi di trasporto urbano: ....
2. Dopo *dicembre*: ....
3. Il contrario di *sotto*: ....
4. La prima persona singolare di *tenere*: ....
5. La prima persona plurale di *volere*: ....

4. Find the odd word in each group.

1. posta festa francobollo lettera
2. appartamento piano intorno affitto
3. mese stagione estate mezzogiorno
4. mittente cellulare telefonare prefisso
5. armadio tavolo poltrona soggiorno

Check the solutions on page 159. Are you satisfied?

Piazza del Campo, Siena

Al bar

Per cominciare...

1 **Look at these photos. Which activities do you prefer doing at the weekend?**

2 **Listen to the dialogue once. What activity are the two people talking about?**

3 **Listen to the dialogue again and choose the right sentence.**

1. Nel fine settimana Enzo e Lidia
   - a. hanno fatto le stesse cose
   - b. hanno fatto cose diverse
   - c. sono andati insieme al cinema

2. È stato un fine settimana tranquillo quello di
   - a. Enzo
   - b. Lidia
   - c. tutti e due

In this unit... **(Glossary on page 175)**

1. *...we learn to talk about something that happened in the past, to order at a cafe, to express preference*
2. *...we learn about the* passato prossimo, *the adverbs of time with the* passato prossimo, ci
3. *...we find information about Italian cafes and Italian coffee*

A Come hai passato il fine settimana?

24 **1 Read and listen to the passage to check the answers to the previous activity.**

Enzo: Ciao Lidia, come va?

Lidia: Non c'è male, grazie. E tu?

Enzo: Abbastanza bene. Allora... come hai passato il fine settimana?

Lidia: Mah, niente di speciale, le solite cose.

Enzo: E dai, racconta.

Lidia: Dunque... sabato sono andata con Gianna in centro... a fare spese. Poi abbiamo bevuto un caffè all'*Antico Caffè Greco* e verso le 9 siamo andate a mangiare una pizza con degli amici.

Enzo: E ieri?

Lidia: Ieri, niente, sono andata da una mia collega. Abbiamo cenato e abbiamo guardato un film in televisione. Be'... non è stato tanto divertente devo dire. Comunque, sono rimasta fino a mezzanotte. E tu, cosa hai fatto di bello? Sei uscito con i ragazzi alla fine?

Enzo: Sì... sabato sera siamo andati in discoteca. Abbiamo ballato un sacco e siamo tornati dopo le tre!

Lidia: Allora, ieri non sei uscito, immagino...

Enzo: Invece, sì! Nel pomeriggio sono andato da Paola a guardare la tv. Verso le otto, però, lei ha avuto l'idea di andare al cinema e... così siamo usciti in gran fretta. Pensa che siamo entrati in sala un minuto prima dell'inizio del film!

Lidia: Dai! Un fine settimana intenso, insomma.

Enzo: Beh, sì! Ma anche divertente...!

2 Read.

Role play as Lidia and Enzo. Read the dialogue.

3 Answer the questions.

1. Lidia e Gianna cosa hanno fatto sabato?
2. Cosa ha fatto Lidia domenica?
3. Dov'è andato sabato sera Enzo?
4. Cosa ha fatto, invece, Enzo domenica sera?

4 The following passage is a summary of the introduction dialogue. Complete it with the verbs given.

Sabato Lidia è ......*uscita*...... insieme a Gianna. Sono .... a fare spese e poi hanno .... un caffè all'*Antico Caffè Greco*. Domenica, Lidia è .... da una sua collega ed è .... fino a mezzanotte.

Sabato sera, Enzo e i suoi amici sono .... in discoteca. Sono .... a casa dopo le tre. Domenica Paola ha .... l'idea di andare al cinema. Sono .... in sala poco prima dell'inizio del film!

andati
bevuto
uscita
andata
entrati
rimasta
tornati
avuto
andate

5 Work in pairs. Look at these sentences, taken from the introduction dialogue, with the verbs in the *passato prossimo*:

come **hai passato** il fine settimana?
abbiamo guardato un film...
abbiamo ballato un sacco...
sabato **sono andata**...
ieri non **sei uscito**...
siamo entrati in sala...

When do you think we use the *passato prossimo*? How is it formed?

Look at the first table on the next page and confirm your answers about how the *passato prossimo* is formed.

Antico Caffè Greco,
Roma

Passato prossimo

presente di *avere* o *essere* + participio passato ➩	parl**are** = parl**ato** ricev**ere** = ricev**uto** fin**ire** = fin**ito**

6 Look at the table and make sentences, as shown.

ausiliare *avere* + participio passato

ho	parl**ato**	di te con Gianna.
hai	mangi**ato**	la pasta al dente?
ha	ricev**uto**	due cartoline.
abbiamo	vend**uto**	la vecchia casa.
avete	cap**ito**	il dialogo?
hanno	dorm**ito**	molte ore.

Ieri *(io-mangiare)* la pizza.
➩ *Ieri ho mangiato la pizza.*

1. Un anno fa *(io-visitare)* San Pietro.
2. Carla e Pina *(lavorare)* fino alle cinque.
3. Due giorni fa Giulia *(vendere)* la sua macchina.
4. Letizia, dove *(comprare)* questo vestito?
5. Come mai *(voi-pensare)* di dare una festa?

1 e 2

7 Look at the table and make sentences aloud.

ausiliare *essere* + participio passato

sono	and**ato/a**	a teatro ieri.
sei	torn**ato/a**	dal lavoro?
è	entr**ato/a**	in un negozio.
siamo	part**iti/e**	un mese fa.
siete	usc**iti/e**	l'altro ieri?
sono	sal**iti/e**	al quarto piano.

1. L'estate scorsa *(noi-andare)* ad Amalfi.
2. Ieri Patrizia non *(uscire)* di casa.
3. Stefania *(partire)* ieri sera per la Germania.
4. A che ora *(tornare)* ieri notte, Carla?
5. Se non sbaglio, *(io-arrivare)* alle 9 in punto.

Amalfi

3 e 4

B Cosa ha fatto ieri?

Role-play

1 **The police suspect Luigi about a small theft that occurred on the 12th of December. One of you (*A*) is the policeman who is trying to see what is written in the man's agenda. Another (*B*) is Luigi answering questions like:** *cosa ha fatto alle...? / dove è andato...? / con chi...? / che cosa avete fatto...? / a che ora ha/è...?*

lunedì
12
Dicembre

10.10 andare all'Università
12.00 parlare con il Prof. Berti
14.00 mangiare alla mensa insieme a Gino
15.30 incontrare Nina al bar
17.00 andare dal dentista
18.20 chiamare Giorgio per parlare del test
18.30-20.00 studiare
20.30 incontrare Nina

2 **Look at:** *"ho incontrato Nina", "sono andato dal dentista"*. **What do you think the choice of auxiliary depends on? Look at the table.**

***essere* o *avere*?**

a. Verbs that take *essere* as an auxiliary:
1. many verbs of movement: *andare*, *venire*, *partire*, *tornare*, *entrare*, *uscire*, *ritornare*, *rientrare*, *giungere*, etc;
2. many verbs of state in a place: *stare*, *rimanere*, *restare*, etc;
3. some intransitive verbs (which do not have an 'object'): *essere*, *succedere*, *morire*, *nascere*, *piacere*, *costare*, *sembrare*, *servire*, *riuscire (a)*, *diventare*, *durare*, etc;
4. reflexive verbs (*The Italian Project 1b*, Unit 9): *alzarsi*, *svegliarsi*, *lavarsi*, etc.

b. Verbs that take *avere* as an auxiliary:
1. transitive verbs (which may have an 'object'): *chiamare* (someone), *mangiare* (something), *dire* (something to someone), etc;
2. some intransitive verbs: *dormire*, *ridere*, *piangere*, *camminare*, *lavorare*, etc.

c. Verbs that take either *essere* or *avere* as an auxiliary:
cambiare: a. *Gianna* ***ha cambiato*** *macchina* (Gianna has changed cars), but b. *Gianna* ***è cambiata*** *ultimamente* (Gianna has changed lately)
passare: a. ***Abbiamo passato*** *un mese in montagna* (We have spent a month in the mountains), but b. ***Sono passate*** *già due ore* (Two hours have already passed)
finire: a. ***Ho*** *appena* ***finito*** *di studiare* (I have just finished studying), but b. *La lezione* ***è finita*** *un'ora fa* (The lesson finished a half an hour ago)
and others, such as *scendere*, *salire*, *cominciare*, *correre*, etc.

5 e 6

3 **Let's read the entire dialogue between Luigi and the policeman.**

agente: Cosa ha fatto il 12 dicembre?
Luigi: Se ricordo bene... quel giorno sono arrivato presto all'università e... sono subito entrato nell'aula.
agente: E poi?
Luigi: Poi... intorno alle 2, sono andato alla mensa, come sempre. ... Ah, no, prima ho parlato con il prof. Berti.
agente: Poi cosa ha fatto?
Luigi: Ho mangiato e sono andato al bar per incontrare Nina, la mia ragazza. Abbiamo bevuto un caffè e dopo un'ora e mezza circa, cioè verso le cinque, sono andato dal dentista. Poi sono tornato a casa.
agente: E lì, cosa ha fatto?
Luigi: Niente di speciale... ho studiato un po' e più tardi è venuta anche Nina. Abbiamo ordinato una pizza e abbiamo guardato la tv.
agente: E dopo, cos'è successo dopo?
Luigi: Allora... dopo... abbiamo parlato un po' e alla fine siamo andati a dormire.

4 **With the help of the drawings and these expressions, talk about another of Luigi's days.**

Raccontare

anzitutto... / per prima cosa...	*dopo le due...*	*più tardi...*
prima... / prima di...	*poi... / dopo...*	*così... / alla fine...*

7

5 **We saw some irregular *participi passati* in the dialogue in point 3, such as "fatto", "venuta" and "successo". What is their *infinito*?**

6 **Work in pairs. Match the verb to the *infiniti* and the *participi passati*. Let's see who finishes first!**

Participi passati irregolari

dire	(ha) ***corretto***	chiedere	(ha) ***chiesto***
fare	(ha) ***detto***	rispondere	(ha) ***proposto***
scrivere	(ha) ***fatto***	proporre	(è) ***rimasto***
correggere	(ha) ***letto***	vedere	(ha) ***risposto***
leggere	(ha) ***scritto***	rimanere	(ha) ***visto***
prendere	(ha) ***acceso***	conoscere	(ha) ***spento***
scendere	(ha) ***chiuso***	vincere	(ha) ***vinto***
spendere	(ha) ***deciso***	piacere	(è) ***piaciuto***
chiudere	(ha) ***preso***	correre	(ha) ***conosciuto***
accendere	(è/ha) ***sceso***	spegnere	(ha) ***bevuto***
decidere	(ha) ***speso***	bere	(è/ha) ***corso***
morire	(ha) ***aperto***	mettere	(ha) ***discusso***
offrire	(è) ***morto***	promettere	(ha) ***messo***
aprire	(ha) ***offerto***	succedere	(ha) ***promesso***
soffrire	(ha) ***sofferto***	discutere	(è) ***successo***
venire	(è) ***stato***		
essere/stare	(ha) ***perso***	*The complete list of irregular* participi passati *in Appendix on page 158.*	
vivere	(ha) ***scelto***		
perdere	(è) ***venuto***		
scegliere	(è/ha) ***vissuto***		

7 **Make sentences, as shown.**

(tu-leggere) il giornale oggi? ⇨ *Hai letto il giornale oggi?*

1. Per arrivare in tempo all'appuntamento *(prendere)* un taxi.
2. Pierino, che regalo *(chiedere)* per il tuo compleanno?
3. Marco *(dire)* una piccola bugia alla sua ragazza.
4. Valeria e io *(rimanere)* a casa tutto il giorno.
5. Chi *(vincere)* il campionato l'anno scorso?
6. Voi dove *(conoscere)* la signora Rossi?

8 e 9

C Ha già lavorato...?

1 Work in pairs. The following dialogue is a job interview between Maria Grazia and the director of a travel agency. Put it in orden and then answer the questions.

1	*Direttrice:*	Signorina Grandi, vedo che è laureata in Economia e Commercio. Quando ha finito l'università?
	Direttrice:	Ah, e per quanto tempo?
	Maria Grazia:	L'anno scorso.
	Direttrice:	Ha già lavorato in un'agenzia di viaggi, vero?
	Maria Grazia:	Sono andata via nel settembre scorso... quindi ci ho lavorato in tutto per 8 mesi.
	Maria Grazia:	Sì, ma non ho ancora trovato niente di interessante.
	Direttrice:	Ho capito... e da allora cerca lavoro?
	Maria Grazia:	Sì, certo. La prima volta tre anni fa, a Padova. Poi l'anno scorso ho lavorato part-time proprio qui a Milano.

1. Quando ha finito l'università Maria Grazia?
2. Quando e dove ha lavorato?
3. Quando ha lasciato il lavoro precedente?
4. Perché non ha ancora trovato lavoro?

2 Look at the table and do the role play.

Quando...?

un'ora fa / tre giorni fa / qualche mese fa / molti anni fa / tempo fa

martedì scorso / la settimana scorsa / il mese scorso / nel dicembre scorso / l'estate scorsa / l'anno scorso

Data precisa

giorno:	è partito parte	**il** 18 gennaio / giovedì scorso **il** 20 marzo / domenica prossima
mese:	è tornato torna	**nel** novembre scorso **a** / **in** giugno, settembre
anno:	è nato è nato	**nel** 1982, **a** febbraio **nel** febbraio del 1982

▷ *A*: ask your partner when:

- *è nato*
- *ha finito la scuola (elementare)*

▷ *B*: answer *A*'s questions.

- *è stata l'ultima volta che è andato in vacanza*
- *ha cominciato a studiare l'italiano*

In the end, *A* must report *B*'s answers to the class ("è nato nel..." etc.).

3 **Working in pairs, notice these events and exchange information, as shown:**
-*"Quando è morto Federico Fellini?"* -*"Nel 1993"*.

4 **In the previous dialogue (C1) we saw the following sentence:** "*ci* ho lavorato per...", "ha *già* lavorato in un'agenzia...", "non ho *ancora* trovato...". **Look at the position of the words in italics.**

5 **Look at the two tables and make at least two similar sentences.**

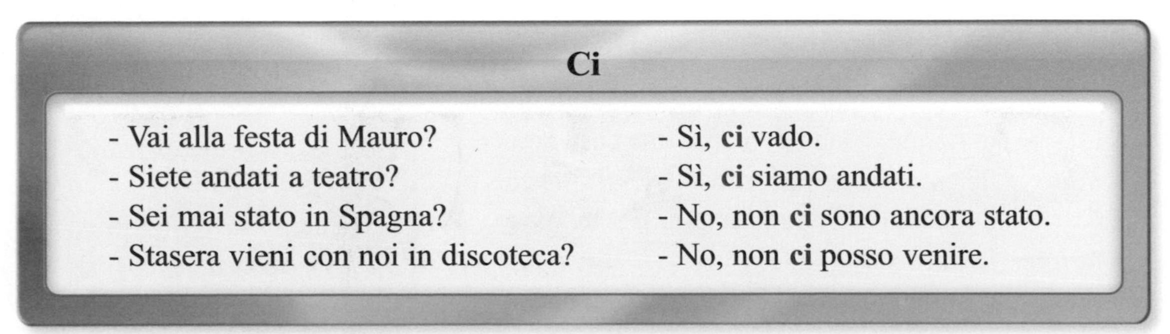

Ci	
- Vai alla festa di Mauro?	- Sì, **ci** vado.
- Siete andati a teatro?	- Sì, **ci** siamo andati.
- Sei mai stato in Spagna?	- No, non **ci** sono ancora stato.
- Stasera vieni con noi in discoteca?	- No, non **ci** posso venire.

Avverbi con il passato prossimo

Eugenio		*è*	**sempre**	*stato*	gentile con me.
Rita,		*hai*	**già**	*finito*	di studiare?
Gianluca		*è*	**appena**	*uscito*	di casa.
Lei	***non***	*ha*	**mai**	*parlato*	di questa cosa.
Dora	***non***	*è*	**ancora**	*arrivata*	in ufficio.
Alfredo	***non***	*ha*	**più**	*detto*	niente.
furthermore:		*Ho*	**anche**	*dormito*	un po'.
		È	*venuta*	**anche**	Alice.

....

....

10 e 11

D Cosa prendiamo?

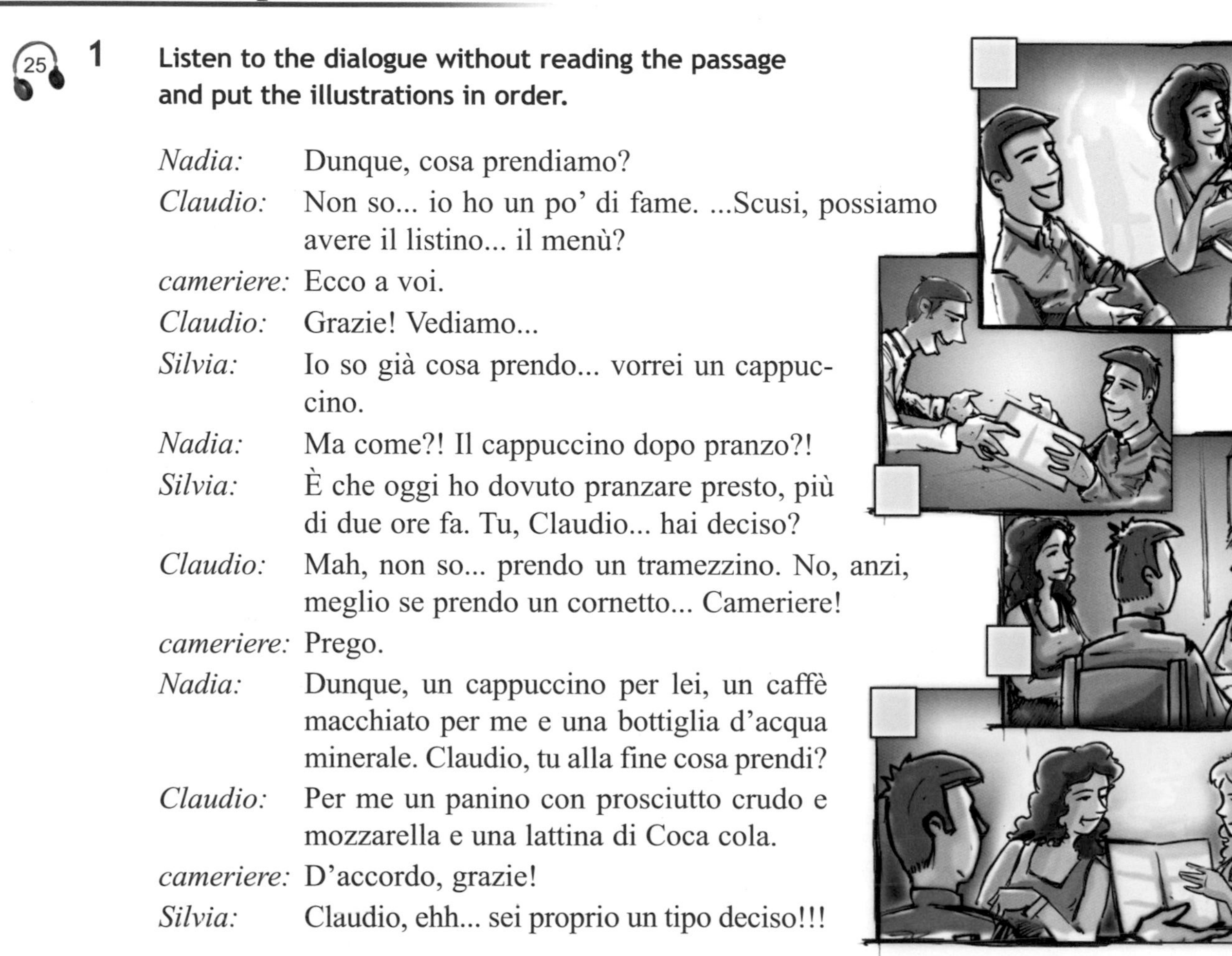

25 **1** **Listen to the dialogue without reading the passage and put the illustrations in order.**

Nadia: Dunque, cosa prendiamo?
Claudio: Non so... io ho un po' di fame. ...Scusi, possiamo avere il listino... il menù?
cameriere: Ecco a voi.
Claudio: Grazie! Vediamo...
Silvia: Io so già cosa prendo... vorrei un cappuccino.
Nadia: Ma come?! Il cappuccino dopo pranzo?!
Silvia: È che oggi ho dovuto pranzare presto, più di due ore fa. Tu, Claudio... hai deciso?
Claudio: Mah, non so... prendo un tramezzino. No, anzi, meglio se prendo un cornetto... Cameriere!
cameriere: Prego.
Nadia: Dunque, un cappuccino per lei, un caffè macchiato per me e una bottiglia d'acqua minerale. Claudio, tu alla fine cosa prendi?
Claudio: Per me un panino con prosciutto crudo e mozzarella e una lattina di Coca cola.
cameriere: D'accordo, grazie!
Silvia: Claudio, ehh... sei proprio un tipo deciso!!!

2 Listen to the dialogue again and answer:

a. Cosa hanno preso le due ragazze?
b. Cosa ha preso Claudio?

3 Work in pairs: first read the dialogue and then the price list. How much did each of the people spend?

caffè GIOLITTI

CAFFETTERIA	
Caffè espresso	1,40
Caffè corretto	1,60
Caffè espresso decaffeinato	1,60
Cappuccino	1,60
Caffelatte - Latte	1,30
Tè - Camomilla	1,60
Cioccolata in tazza - con panna	1,70
Caffè - tè freddo	1,70

GELATI - DOLCI	
Coppa Giolitti	6,50
Torta al caffè	5,40
Tiramisù	5,20
Zabaione	5,20
Stracciatella	5,20
Cioccolato	5,20
Pannacotta	5,20

BIBITE	
Bibite in lattina	1,60
Bibite in bottiglia	1,50
Spremuta d'arancia	2,80
Birra alla spina piccola	1,70
Birra alla spina media	2,60
Birra in bottiglia	3,00
Acqua minerale - bicchiere	0,50
Acqua minerale - bottiglia	1,70

APERITIVI	
Bitter - Campari	3,60
Martini: rosso - dry - bianco	3,60

PANINI - TRAMEZZINI	
Prosciutto crudo e mozzarella	1,80
Mozzarella e pomodoro	1,80

4 *Role-play* Based on the previous price list and the following table, role play a dialogue between two people who go to a cafe and decide to drink and eat something.

Ordinare
cosa prendi? *cosa prendiamo?* *vuoi bere qualcosa?*
per me un... / io prendo... *preferisco il tè al caffè...* *io ho fame: vorrei un panino...* *ho sete: vorrei bere qualcosa...*

5 **On page 66 you can find the passage** "ho dovuto pranzare presto". **Look at the table and complete the sentences, as shown.**

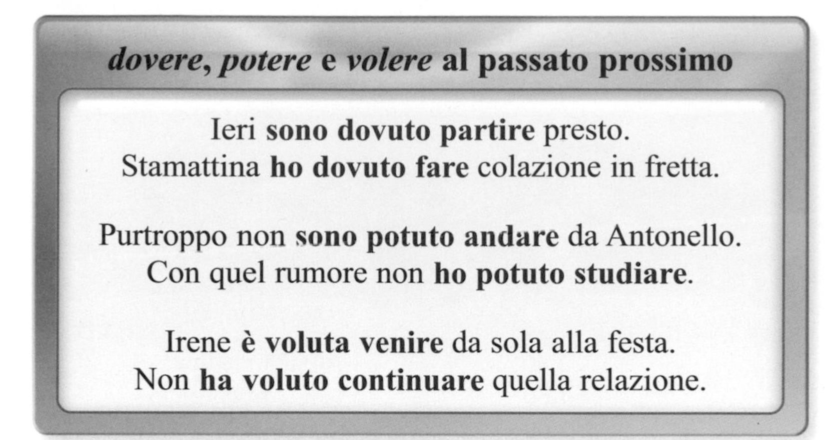

***dovere, potere* e *volere* al passato prossimo**

Ieri **sono dovuto partire** presto.
Stamattina **ho dovuto fare** colazione in fretta.

Purtroppo non **sono potuto andare** da Antonello.
Con quel rumore non **ho potuto studiare**.

Irene **è voluta venire** da sola alla festa.
Non **ha voluto continuare** quella relazione.

Ieri *(io-dovere lavorare)* molte ore. ➪ *Ieri ho dovuto lavorare molte ore.*

1. Non *(io-volere-comprare)* una macchina di seconda mano.
2. Ida *(volere-continuare)* a studiare anche dopo mezzanotte.
3. Signora Pertini, come *(potere affrontare)* una situazione così difficile?
4. Alla fine, *(noi-dovere tornare)* a casa da sole.
5. Maurizio non *(potere trovare)* una buona scusa.

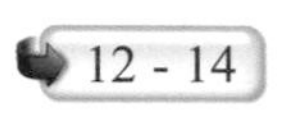
12 - 14

E Abilità

1 **Ascolto** Workbook (p. 133)

2 **Parliamo**

1. Quanti tipi di caffè esistono? Potete spiegare che differenze ci sono?
2. Voi che caffè preferite, quando e come lo bevete?
3. Secondo voi, costa molto bere un caffè e mangiare qualcosa in un bar italiano? Nel vostro paese, più o meno, quanto costa?
4. Ci sono somiglianze o differenze tra un bar italiano e uno del vostro paese? Parlatene.
5. Andate spesso a bere il caffè fuori? Parlate un po' del posto che preferite: dove si trova, com'è, perché ci andate ecc.

3 **Scriviamo**

Write an e-mail to an Italian friend and, after the usual greetings, write how you spent a weekend recently. *(80-100 words)*

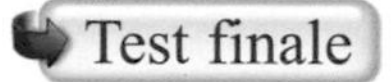
Test finale

Gli italiani e il bar

Read the passage and choose the right sentences.

Molto spesso il caffè si beve al banco, in piedi

Per molti italiani una sosta*, anche breve, al bar fa parte del loro programma giornaliero. Ci possono andare la mattina a fare colazione con cappuccino e cornetto, all'ora di pranzo per un panino, il pomeriggio per un dolce seguito da un buon caffè, oppure la sera per bere qualcosa con gli amici. Il caffè non costa molto e, di solito, prima di ordinare al barista dietro il banco dobbiamo pagare, cioè dobbiamo "andare alla cassa" per ritirare o "fare lo scontrino*".

Alla cassa

Più accoglienti* e ospitali sono i bar di provincia, più che altro un ritrovo* per le persone di ogni età: lì possono anche leggere il giornale, discutere di politica e di sport e giocare a carte.

Un bar a Piazza Navona

Quando il tempo è bello è ancora più piacevole andare al bar e sedersi ai tavolini in piazza o semplicemente sul marciapiede per godere del sole, leggere il giornale, chiacchierare con un amico davanti a una tazzina di caffè. Famosi, ad esempio, sono i bar di Piazza San Marco a Venezia, come il leggendario *Florian*.

Proprio la piazza è un punto di ritrovo, un luogo dove poter parlare, scherzare, passeggiare, mangiare un gelato. Tipici esempi: Piazza di Spagna e Piazza Navona a Roma e Piazza del Duomo a Milano.

Il *Florian*

1. Per gli italiani il bar è un locale dove
   - ☐ a. fare solo colazione
   - ☐ b. bere e mangiare
   - ☐ c. passare soprattutto la serata

2. Quando il tempo è bello gli italiani
   - ☐ a. preferiscono i gelati al caffè
   - ☐ b. preferiscono le piazze ai bar
   - ☐ c. preferiscono i bar con i tavolini fuori

I bar che hanno fuori un'insegna* con la lettera 'T', sono anche tabaccherie e vendono tantissime cose.

Glossary: sosta: stop, break; scontrino: receipt; accogliente: welcoming; ritrovo: meeting place; insegna: (commercial) sign.

Il caffè

Read the passage about coffee and indicate which sentences actually appeared in it.

Gli italiani con la parola "caffè" si riferiscono quasi sempre all'espresso, questo caffè tanto particolare dal gusto e l'aroma* forti.

Tutto comincia nel 1901 quando il milanese Luigi Bezzera inventa* una macchina per il caffè da bar che permette di preparare il caffè in poco tempo. Così, l'espresso (nome che sottolinea, appunto, la velocità nella preparazione, ma anche nella... consumazione) entra nella vita di tutti i giorni degli italiani e diventa un simbolo dell'Italia.

Tutti i momenti sono buoni per un caffè che possiamo bere **macchiato** (con pochissimo latte); **lungo** (tazzina quasi piena, sapore più leggero); **ristretto** (meno acqua, sapore più forte); **freddo** (con ghiaccio); **corretto** (con un po' di liquore). Inoltre a casa gli italiani fanno spesso colazione con il **caffelatte**, latte caldo e pochissimo caffè.

L'altra bevanda calda italiana famosa nel mondo è il cappuccino. Ha preso il suo nome dal colore degli abiti dei frati* cappuccini e in pratica si tratta sempre di un espresso più la schiuma di latte*. Un consiglio: dopo pranzo chiedete un espresso invece di un cappuccino. Per gli italiani, infatti, è impensabile* bere un 'cappuccio' alla fine di un pasto, mentre va benissimo a colazione. L'espresso, d'altra parte, si beve a tutte le ore!

- ☐ 1. L'espresso è il caffè preferito dagli italiani.
- ☐ 2. Luigi Bezzera ha inventato il modo di preparare il cappuccino.
- ☐ 3. Il caffelatte si beve soprattutto la mattina.
- ☐ 4. Il caffè lungo non ha un sapore molto forte.
- ☐ 5. I frati cappuccini bevono molto caffè.
- ☐ 6. Dopo pranzo gli italiani bevono almeno due tazzine di caffè.

Glossary: aroma: aroma, fragance; inventare: to invent; frate: friar; schiuma di latte: milk foam; impensabile: unthinkable, inconceivable.

Caffè, che passione!

Read the passage and complete the table.

Caffè, passione degli italiani
30 milioni di tazzine al giorno

ROMA - A colazione, dopo pranzo e dopo cena.
Ma anche al pomeriggio: il rito* del caffè sembra irrinunciabile* per gli italiani. Sui 7,5 milioni di sacchi di caffè importato dall'estero (pari a 76 mila tonnellate*) ogni anno, 1,5 milioni finiscono nei bar, i restanti* 6 milioni vanno nelle case private per il consumo quotidiano*. Un italiano beve 600 tazzine di caffè e cappuccino all'anno: di queste il 70% a casa, il 20% nei 130.000 bar del paese e il 10% sul posto di lavoro.

da *la Repubblica*

I numeri del caffè

....	tazzine all'anno per ogni italiano
....	milioni di sacchi di caffè importato
....	mila bar in Italia
....	mila tonnellate di caffè consumate all'anno
....	milioni di sacchi di caffè consumati al bar
....	milioni di sacchi di caffè consumati nelle case
....	milioni di tazzine bevute al giorno in Italia

Tra le caffettiere ad uso domestico* la più usata oggi è ancora la Moka (famosa per esempio la *Bialetti*) che in pochi minuti dà un buon espresso. Poi esistono tantissime caffettiere automatiche (in bar, ristoranti, uffici e case) che preparano sia il caffè sia il cappuccino.

Glossary: rito: rite, ceremony; irrinunciabile: unmissable, not to be missed; tonnellata: ton; restante: remaining; quotidiano: daily, everyday; domestico: domestic, home-.

Attività online

Autovalutazione
What do you remember from units 3 and 4?

1. Do you know how to...? Match the two columns.

1. esprimere incertezza
2. ordinare al bar
3. esprimere preferenza
4. localizzare nello spazio
5. raccontare

a. *Un cornetto, per favore.*
b. *Io vorrei un tè.*
c. *È nel salotto, sul tavolino.*
d. *All'inizio siamo andati a mangiare, poi...*
e. *Mah, può darsi.*

2. Match the sentences.

1. Quando sei venuto in Italia?
2. Scusi, quanto costa questo?
3. Cosa prendi?
4. Pronto?
5. Grazie mille!

a. Per me un caffè lungo, grazie.
b. Ma figurati!
c. Posso parlare con Marco?
d. Nel maggio scorso
e. Con lo sconto 90 euro.

3. Complete.

1. Due tipi di caffè espresso: ....
2. In genere non si beve dopo un pasto: ....
3. Il participio passato del verbo *bere*: ....
4. Il passato prossimo di *rimanere* (prima persona singolare): ....
5. L'ausiliare di molti verbi di movimento: ....

4. Find the eight hidden words, horizontally and vertically.

e	s	u	c	c	e	s	s	o	t
t	o	l	i	p	e	t	b	l	a
t	p	i	a	z	z	a	e	e	v
y	r	s	g	i	u	g	n	o	o
n	a	t	t	u	f	e	t	a	l
a	t	i	r	e	z	n	o	s	i
p	a	n	i	n	o	d	u	m	n
u	v	o	g	e	l	a	f	i	o

Check the solutions on page 159.
Are you satisfied?

Piazza di Spagna, Roma

Feste e viaggi

Per cominciare...

1 Where and how do you prefer to spend the holidays or vacations and why?

2 Listen to the dialogue once and mark the cities that Ugo and Angela are thinking of visiting.

3 Listen to the dialogue again and indicate which sentences are correct.

1. Quando Aldo e Ugo parlano è già Natale.
2. Ugo farà un viaggio da solo.
3. Aldo passerà le feste lontano da Stefania.
4. Ugo e Angela a Capodanno saranno in Italia.

In this unit... (Glossary on page 177)

1. ...we learn to plan, forecast, promise and make hypotheses; vocabulary and some expressions for travelling by train and for speaking about the weather
2. ...we learn the futuro semplice *and* futuro composto
3. ...we find information about holidays and about trains in Italy

A Faremo un viaggio.

27 **1** **Read and listen to the passage to verify your answers to the previous exercise.**

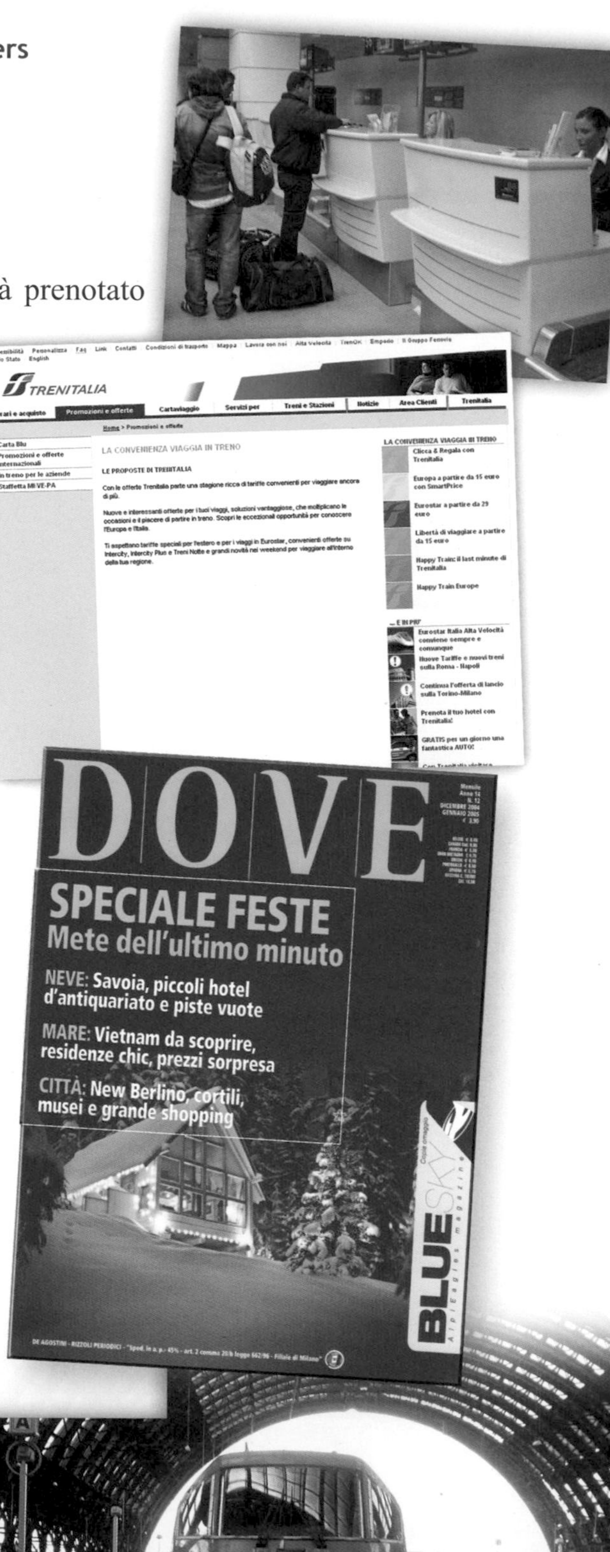

Ugo: ...e per Natale, avete già deciso qualcosa?

Aldo: No, ancora no. Voi, invece?

Ugo: Noi quest'anno faremo un viaggio. Ho già prenotato tutto, ma Angela non sa ancora niente!

Aldo: Ah, che bella sorpresa! E dove andrete?

Ugo: Dunque, partiremo in aereo il 22 dicembre per Madrid e il 26 andremo in treno in Portogallo, a Lisbona. Poi a Capodanno saremo a Parigi per altri tre giorni e torneremo il 4 gennaio con un treno ad alta velocità.

Aldo: Però! Ma voi farete quasi il giro d'Europa! Costerà un bel po', immagino!

Ugo: Eh, sì. Anche se, per fortuna, ho trovato un'offerta interessante sul sito di Trenitalia. E voi, ...andrete da qualche parte?

Aldo: Anche noi all'inizio abbiamo pensato di andare a Zurigo per 2-3 giorni. Però poi Stefania ha deciso di andare a Venezia dai suoi genitori e tornerà dopo Capodanno.

Ugo: E l'ultimo dell'anno?

Aldo: Non lo so. Forse verranno a casa degli amici, oppure andremo a festeggiare in qualche bel posto. Vedremo. Comunque, buone feste e buon viaggio!

Ugo: Grazie, Aldo! Buon Natale e buon anno anche a voi!

2 Read and underline.

Take on the roles of Ugo and Aldo and read the dialogue. Then underline the rest of the verbs that you think have the same form as "farete" and "faremo". What do they mean?

3 Answer the questions.

1. Che cosa faranno Ugo e Angela a Natale?
2. Cos'è cambiato nei programmi iniziali di Aldo?
3. Cosa farà Aldo a Capodanno?
4. Che cosa augura Ugo ad Aldo?

4 Complete the dialogue between Ugo and Angela with the given verbs.

Ugo: Sai, ho incontrato Aldo oggi.

Angela: Ah, come sta? E Stefania? Che .... a Natale?

Ugo: Stefania .... a Venezia e lui .... qui da solo.

Angela: Allora, forse potete uscire insieme qualche sera.

Ugo: Ma noi, amore mio, non .... qui, noi quest'anno .... un bel viaggio in Europa! Ho già prenotato tutto: il 22 dicembre .... l'aereo per la Spagna, il 26 .... in Portogallo in treno per essere in Francia a Capodanno! Eh, che bella sorpresa!

Angela: Certo... amore... come no, bellissima. Solo che... a Natale viene mia madre per una settimana! Ha già fatto i biglietti!

prenderemo andremo faranno saremo faremo andrà resterà

5 Briefly speak *(40-50 words)* about how the two couples will spend their holidays.

....

....

....

....

....

....

....

....

....

6 **Complete the table and then the sentences that follow, as shown.**

Futuro semplice

	tornare	**prendere**	**partire**
io	torn**erò**	prend**erò**	part**irò**
tu	torn**erai**	prend**erai**	part**irai**
lui, lei, Lei	....	prend**erà**	part**irà**
noi	torn**eremo**	prend**eremo**	....
voi	torn**erete**	....	part**irete**
loro	torn**eranno**	prend**eranno**	part**iranno**

A che ora *(tu-uscire)* di casa? ⇨ *A che ora uscirai di casa?*

1. Secondo te, a Salvatore *(piacere)* uno di questi libri?
2. Chiara, quando *(imparare)* finalmente a cucinare bene?
3. *(io-scrivere)* un'e-mail a Guido per spiegare tutta la verità.
4. Dario ha promesso che *(smettere)* di correre con la macchina.
5. Ragazzi, quando *(partire)* per le vacanze?
6. Mamma, da grande *(io-diventare)* un famoso architetto!

7 **Complete the table in pairs.**

Futuro semplice
Verbi irregolari

essere	**avere**	**stare**	**andare**	**fare**
sarò	avrò	starò	....	farò
sarai	avrai	starai	andrai	farai
sarà	avrà	....	andrà	farà
....	avremo	staremo	andremo	faremo
sarete	....	starete	andrete	farete
saranno	avranno	staranno	andranno	....

Other verbs that are irregular in the futuro *can be found in the Appendix on page 159.*

8 **Uses of the *futuro*. Look at the table then say which use corresponds to the drawings below.**

1. Fare progetti	◆ Quest'anno cercherò un nuovo lavoro. ◆ Studierò giorno e notte per prendere la laurea.
2. Fare previsioni	◆ Secondo me, stasera pioverà. ◆ Diventerai un bravissimo avvocato!
3. Fare ipotesi	◆ - Che ore sono? - Saranno le 2. ◆ È abbastanza giovane, non avrà più di trent'anni.
4. Fare promesse	◆ Va bene, domani finirò tutto! ◆ Hai ragione! Quest'anno studierò di più!
5. Periodo ipotetico	◆ Se domani farà bel tempo, andremo al mare. ◆ Se la Roma continua così, vincerà il Campionato.

6 - 11

B In treno

1 **Work in pairs. Look at the photos and guess the meaning of these words:**

biglietteria controllo passeggero binario

2 **Listen and match the recording to the photos. Careful: there's one extra photo!**

3 **Now read the passage and verify your answers.**

1. ◆ Scusi, signorina, questa è la seconda classe, vero?
   ◆ Sì, è la seconda.
   ◆ Grazie mille!

2. ◆ Biglietti, prego!
   ◆ Ecco.
   ◆ Grazie!

3. ◆ Scusi, questo è il treno per Firenze, vero?
   ◆ Sì, signora, è questo.
   ◆ Grazie!

4. ◆ A che ora parte il prossimo treno per Firenze?
   ◆ C'è l'Intercity fra venti minuti e l'Eurostar alle 4.
   ◆ Allora... un biglietto per l'Intercity.
   ◆ Andata e ritorno?
   ◆ No, solo andata. Quant'è?
   ◆ Con il supplemento... sono 21 euro e 95 centesimi.

5. ◆ Attenzione! L'Intercity 703, per Firenze - Bologna - Milano, è in arrivo al binario 8 anziché al binario 12.

4 **Work in pairs. Underline the words and sentences that are useful when travelling by train in the previous dialogues.**

5 **Complete the short dialogues.**

1. ● Un biglietto per Venezia, per favore.
   ● ....?
   ● No, solo andata. Quant'è?
   ● ....

2. ● .... per Roma?
   ● L'Eurostar delle 11.

3. ● ....?
   ● Fra mezz'ora.
   ● ....?
   ● Dal binario sei.

4. ● Scusi, è questo il treno che va a Venezia?
   ● ....

6 *Role-play*

A**: You are at the railway station in Florence and you want to take the next train to Rome. Ask the ticket counter cashier (*****B*****) for information about the schedule, the price, the track, etc. Finally, pay for the ticket and thank him or her.**

B**: You are a ticket counter cashier: you must answer all of *****A*****'s questions. You can consult the map on page 27.**

C In montagna

1 Three couples will go on a ski-holiday in the Alps. Read the dialogue.

Simona: Quando partirete per le Alpi?
Nadia: La mattina del 23.
Simona: Ma Teresa non lavora quel giorno?
Nadia: Sì, infatti, partirà quando avrà finito il turno.
Simona: Davide e Chiara, invece, partiranno con voi?
Nadia: No, loro verranno dopo che saranno passati dai genitori di Chiara.
Simona: Ho capito. E quando tornerete?
Nadia: Io e Matteo ripartiremo il 2 gennaio.
Simona: Che bello! Quando tornerete voglio sapere tutto!
Nadia: Va bene. Ti chiamerò non appena sarò tornata!

2 Indicate the right sentences.

1. Nadia e Matteo arriveranno dopo Teresa.
2. Teresa partirà per la montagna dopo il lavoro.
3. Davide e Chiara passeranno prima dai genitori di lei.
4. Nadia chiamerà Simona prima di arrivare a casa.

3 When do we use the *futuro composto* (for example "avrà finito", "saranno passati")? Look at the examples.

Futuro composto

Federico verrà	dopo che (non) appena quando	**avrò/avrai/avrà mangiato** **avremo/avrete/avranno studiato**	**sarò/sarai/sarà tornato/a** **saremo/sarete/saranno arrivati/e**

Uso del futuro composto

passato prossimo	presente	**futuro composto**	futuro semplice
l'anno scorso *ho fatto un viaggio*	di solito *viaggio* in aereo	dopo che ***avrò finito*** *gli esami...*	*...**farò** un viaggio*
		1ª azione futura	**2ª azione futura**

Note: It is the same if we say: *Farò un viaggio* (2nd action) *dopo che avrò finito gli esami* (1st action)

4 **Look at the table again and answer, as shown.**

Quando torni? *(dopo che / finire)*
⇨ *Tornerò dopo che avrò finito.*

1. Quando partiremo per le isole Canarie? *(dopo che / vincere al lotto)*
2. A che ora verrà Giulio? *(dopo che / passare / da sua sorella)*
3. Quando andrà a vivere da sola Cristina? *(quando / trovare lavoro)*
4. Quando andrai in vacanza? *(appena / dare l'esame)*
5. Mauro verrà o no? *(sì, appena / finire di studiare)*

12 - 15

D Che tempo farà domani?

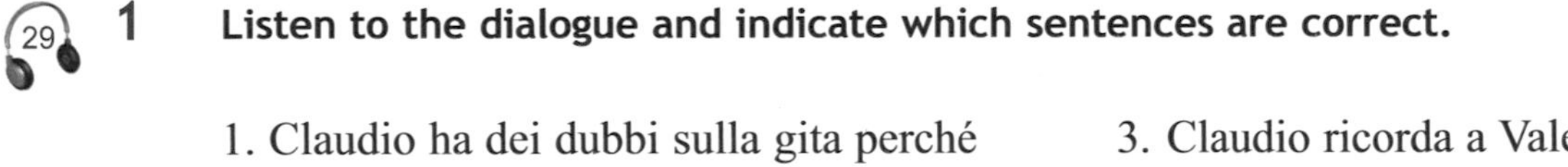

29 **1** **Listen to the dialogue and indicate which sentences are correct.**

1. Claudio ha dei dubbi sulla gita perché
   - a. è stanco
   - b. fa un po' freddo
   - c. tira vento

2. Secondo Valeria il giorno dopo
   - a. pioverà
   - b. il cielo sarà nuvoloso
   - c. farà bel tempo

3. Claudio ricorda a Valeria che
   - a. sono andati al mare una settimana prima
   - b. pochi giorni prima è piovuto
   - c. fa troppo caldo

4. Alla fine decidono di
   - a. ascoltare le previsioni del tempo
   - b. fare la gita al mare
   - c. rinunciare alla gita

30 **2** **Listen to the weather forecast and match the illustrations to the words.**
Careful: there can be various illustrations for single parts of Italy (South, Centre, North).

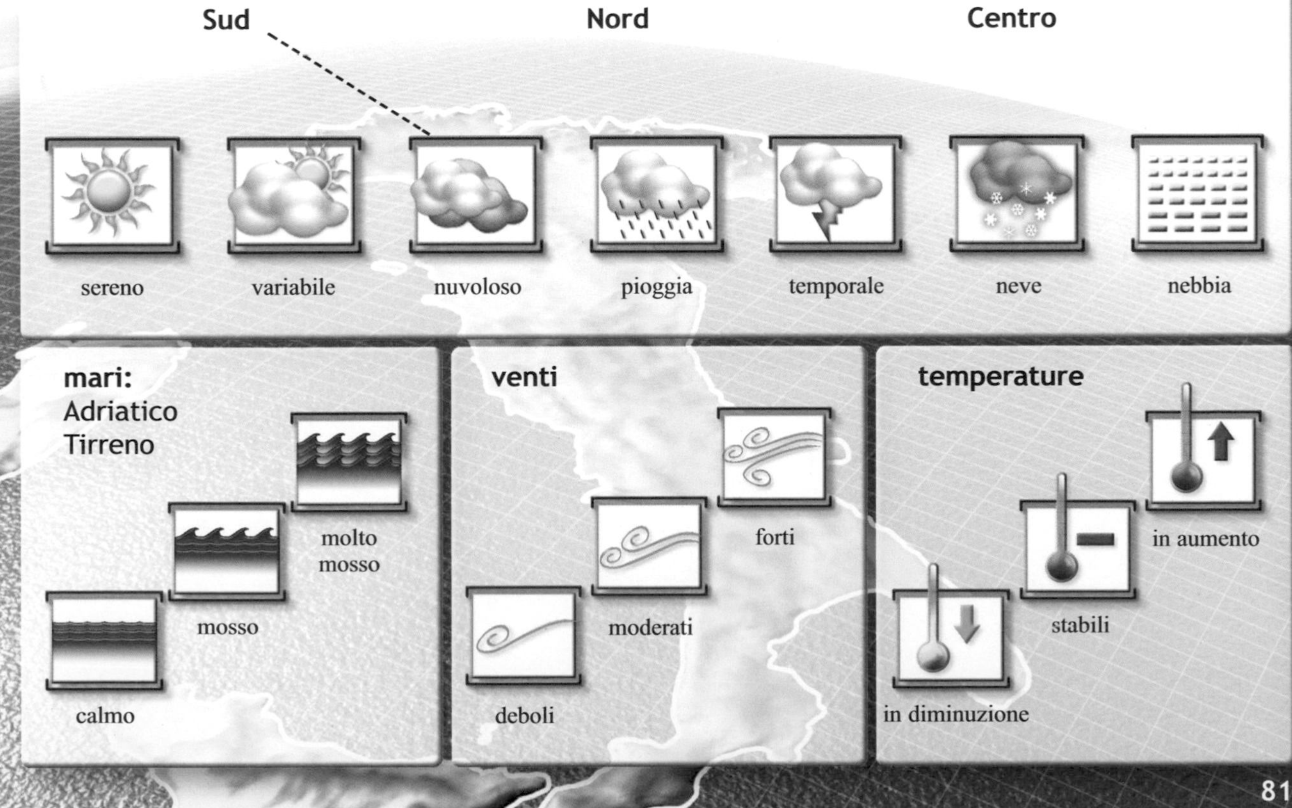

3 **Look at the table and do activity 4.**

Che tempo fa? / Com'è il tempo?	
Il tempo è bello / brutto	*Fa bel / brutto tempo*
È sereno / nuvoloso	*Fa freddo / caldo*
C'è il sole, la nebbia, vento	*Piove / Nevica / Tira vento*

Role-play

4 **In pairs make short dialogues to speak about the weather during the weekend and to decide where and on which day to go on a trip. One pair must choose a city in the North, another in the Centre, and a third in the South of Italy. You can use expressions like** "Meglio andarci domenica perché...", "Perché non andiamo a... che il tempo è...?" **and such.**

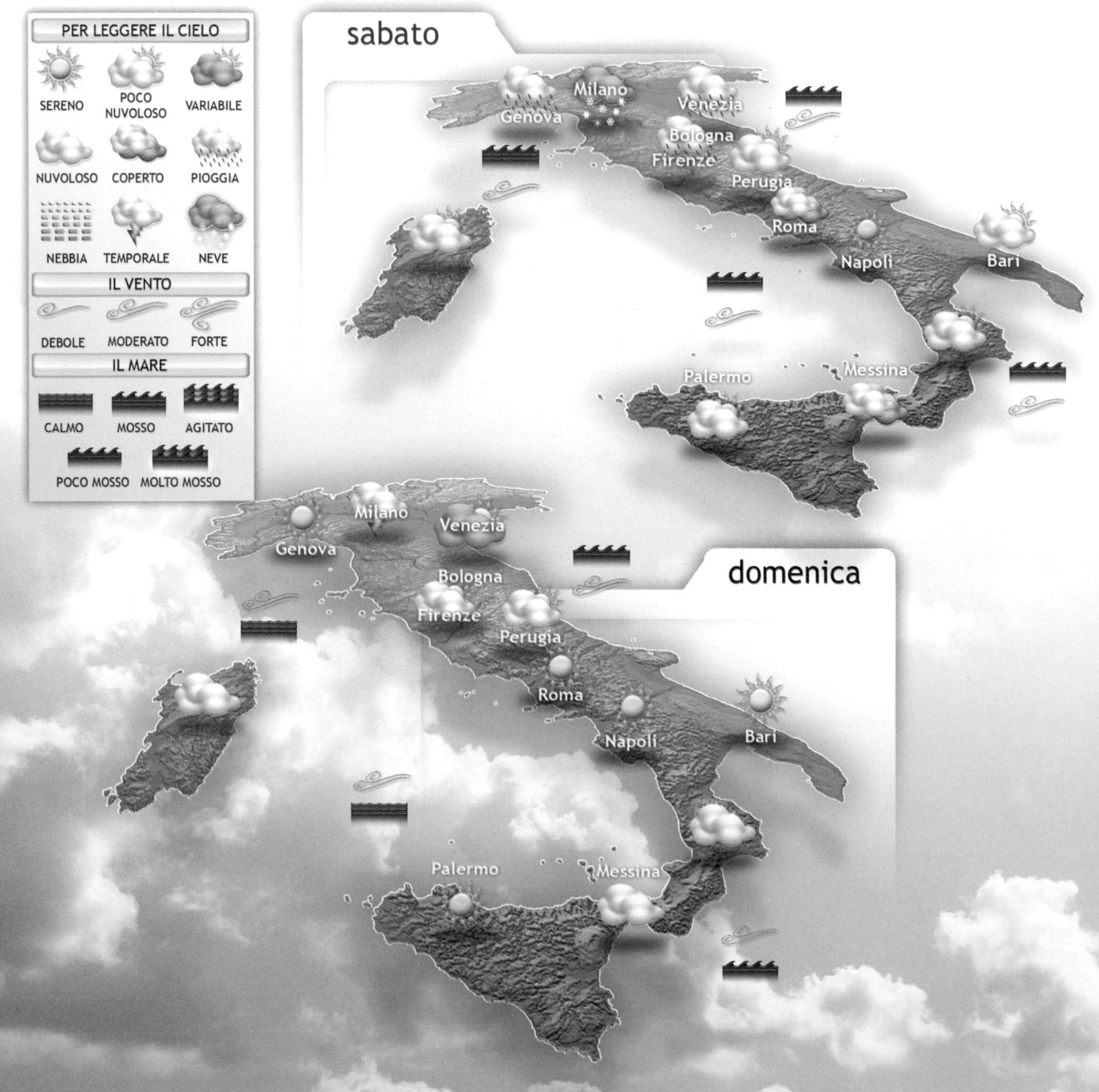

E Vocabolario e abilità

1 **a. Holidays. Complete the passage with the words given.**

Il Natale è la festa .... più importante per gli italiani. In questo periodo c'è un'atmosfera .... dappertutto. Le strade sono illuminate, i negozi e i supermercati affollati. C'è chi cerca dei .... per amici e parenti e chi fa la spesa per il .... di Capodanno: il .... ripieno, lo spumante e, naturalmente, il ...., il tradizionale dolce di Natale. Per molti questo è il periodo della cosiddetta "settimana ...." che vede le Alpi e le altre montagne d'Italia piene di turisti, italiani e stranieri.
Altre feste importanti sono l'Epifania, la Pasqua, il ...., quando "ogni scherzo vale" (cioè è permesso), e Ferragosto.

speciale
tacchino
panettone
bianca
Carnevale
religiosa
regali
cenone

b. Trips. Match the words, as shown.

località	treno
scompartimento	bagagli
crociera	destinazione
valige	nave

supplemento	camera
binario	prezzo
prenotazione	Intercity
tariffa	stazione

2 **Parliamo**

1. Quali sono le feste più importanti nel vostro paese?
2. Di solito, come passate il giorno di Natale? E il Capodanno?
3. Raccontate come avete trascorso le ultime feste (quando, dove, con chi ecc.).
4. Parlate dei paesi che avete visitato. Quali volete visitare in futuro e perché?
5. Che tempo ha fatto ieri nel vostro paese? Quali sono le previsioni per domani?

31 **3** **Ascolto** Workbook (p. 146)

4 **Scriviamo**

You have received an invitation for the holidays from a friend who lives in Perugia. In your thank-you note, explain why you cannot accept the invitation and write about your plans during those days. *(80-100 words)*

Gli italiani e le feste

Natale: i bambini aspettano Babbo Natale che porta i doni*, insieme agli adulti addobbano* l'albero di Natale e fanno il presepe. Il tacchino farcito*, il pollo arrosto o altre specialità regionali, lo spumante e, infine, il panettone e il pandoro si trovano su quasi tutte le tavole italiane.

Babbo Natale e la Befana a Piazza Navona, Roma.

Epifania: il 6 gennaio i bambini appendono delle calze al camino per la Befana, una vecchietta che porta dolci e regali ai bambini buoni e carbone a quelli cattivi!

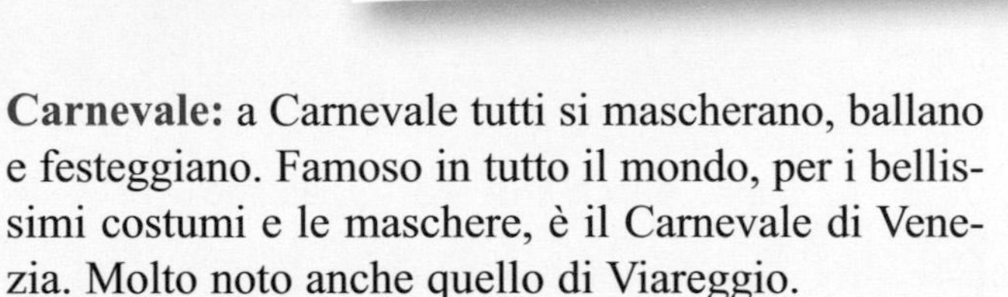

Il torrone (qui nella foto), il panettone e il pandoro, sono i tradizionali dolci di Natale.

Il Carnevale di Venezia

Il Palio di Siena

Carnevale: a Carnevale tutti si mascherano, ballano e festeggiano. Famoso in tutto il mondo, per i bellissimi costumi e le maschere, è il Carnevale di Venezia. Molto noto anche quello di Viareggio.

Pasqua: la Pasqua cattolica cade sempre di domenica, tra il 22 marzo e il 25 aprile. I bambini ricevono l'uovo di cioccolata che nasconde una sorpresa. *"Natale con i tuoi, Pasqua con chi vuoi"* dice un proverbio italiano.

25 aprile: è una festa nazionale per gli italiani, l'anniversario della fine della seconda guerra mondiale (1945). Il **2 giugno**, invece, si ricorda la nascita della Repubblica italiana (1946).

Ferragosto: il 15 agosto, durante le vacanze estive, si celebra l'ascesa* al cielo della Vergine Maria.

Infine, ci sono tantissime **feste popolari**: il *Palio** di Siena e quello di Asti, la *Regata* Storica* di Venezia, la *Giostra* del Saracino* ad Arezzo ecc.

Choose the right sentences.

- ☐ 1. A Natale i bambini trovano i regali nelle calze che appendono.
- ☐ 2. Il pranzo di Natale è molto importante per la famiglia.
- ☐ 3. In Italia il Carnevale si festeggia solo a Venezia.
- ☐ 4. A Pasqua le uova contengono delle sorprese per i bambini.
- ☐ 5. Il 25 aprile si festeggia l'Unità d'Italia.

Glossary: doni: presents, gifts; addobbare: to decorate; farcito: stuffed; ascesa: ascent, rising, assumption; palio: "palio"; regata: regatta; giostra: carousel, tournament.

I treni in Italia

Gli italiani viaggiano spesso in treno per distanze sia brevi che lunghe. La rete ferroviaria italiana copre tutto il territorio nazionale e la qualità dei servizi offerti è piuttosto alta. Esistono treni e servizi per ogni esigenza*:

Treni per il trasporto locale: il **Locale** o **Regionale** collega piccole città all'interno della stessa regione, si ferma in tutte le stazioni e offre posti di sola 2ª classe. Il **Diretto** fa meno fermate del regionale. L'**Interregionale**, infine, collega città di regioni vicine e fa ancora meno fermate.

L'**Intercity** e il più moderno **Intercity Plus** sono treni molto veloci, coprono tutto il territorio e offrono un alto livello di comodità. Si fermano solo nelle principali città.

L'**Eurostar** (ES) è un treno molto moderno che offre alti standard di comfort* e velocità. Viaggiando a 250 km orari, collega le città più importanti e offre anche servizi di ristorazione. Il biglietto include la prenotazione del posto, in 1ª o in 2ª classe. In più ci sono i **Treni ad Alta Velocità**: sono ancora più rapidi, lussuosi* e, ovviamente, cari. Creati dal famoso designer Giugiaro, viaggiano su alcune linee ad oltre 300 km all'ora e collegano le grandi città in tempi molto brevi.

Esistono molte agevolazioni* per chi usa spesso il treno: giovani, anziani, turisti, scuole, passeggeri dell'Eurostar ecc.

Ticketless - il biglietto elettronico

- Reclami e Suggerimenti
- FAQ - Domande frequenti
- Call Center
- sms2go
- Carta dei Servizi
- Condizioni di trasporto

Cos'è
È una modalità di acquisto attiva su tutti i treni Eurostar, Intercity ed Intercity Plus, sia in 1ª che in 2ª classe, che ti permette di salire a bordo senza la necessità di dover ritirare il biglietto.

I Vantaggi
Potrai acquistare comodamente su Internet o per telefono - fino a 10 minuti prima della partenza del treno - eliminando i tempi di attesa per il ritiro presso le Self Service o per l'acquisto allo sportello.

Dove si acquista:
Con Carta di Credito sul sito e al Call Center di Trenitalia.

Come funziona:
Per gli acquisti online: riceverai un'e-mail di conferma di acquisto con tutte le informazioni relative alla carrozza ed ai posti assegnati. Una volta saliti sul treno sarà sufficiente fornire il codice ricevuto al Personale di Bordo che provvederà a stampare il biglietto. Ricorda che per i viaggi in IC e in IC Plus è necessario acquistare la prenotazione del posto oltre al semplice biglietto.

tratto da www.trenitalia.it

Read the passages and briefly answer the questions.

1. Perché gli italiani viaggiano spesso in treno?
2. In cosa differiscono il Regionale, il Diretto e l'Interregionale?
3. Che differenze ci sono tra l'Intercity e l'Eurostar?
4. Qual è il vantaggio del biglietto elettronico?

Glossary: esigenza: need; comfort: comfort; lussuoso: luxurious; agevolazione: concession, discount, offer.

Autovalutazione

What do you remember from units 4 and 5?

1. Do you know how to...? Match the two columns.

1. fare previsioni
2. fare ipotesi
3. parlare del tempo
4. parlare di progetti
5. fare promesse

a. *L'anno prossimo comprerò un nuovo computer.*
b. *Vedrai che alla fine Antonia sposerà Carlo.*
c. *Fa freddo oggi, vero?*
d. *Anna? Non avrà più di 20 anni.*
e. *Sarò puntuale questa volta.*

2. Match the sentences.

1. Un biglietto per Roma con l'Eurostar.
2. Che tempo fa oggi da voi?
3. Offro io, cosa prendi?
4. Il treno va direttamente a Firenze?
5. Quando sei nato?

a. Brutto, molto brutto.
b. No, bisogna cambiare a Bologna.
c. Andata e ritorno?
d. Il 3 aprile dell'89.
e. Un caffè macchiato, grazie!

3. Complete.

1. Tre tipi di treni: ....
2. Tre feste italiane: ....
3. Il passato prossimo di *prendere* (prima persona singolare): ....
4. Il futuro semplice di *venire* (prima persona singolare): ....
5. Il futuro composto di *partire* (prima persona singolare): ....

Le due torri, **Bologna**

4. Find the odd word in each group.

1. pioggia neve vento sole ombrello
2. treno aereo aeroporto nave pullman
3. libri caffè gelati dolci panini
4. stazione biglietteria binario prenotazione panettone
5. Palio di Siena Natale Pasqua Epifania Ferragosto

Check the solutions on page 159. Are you satisfied?

The Italian project

1a

L. Ruggieri
S. Magnelli
T. Marin

An Italian course for English speakers

Beginners A1 COMMON EUROPEAN FRAMEWORK OF REFERENCE

Workbook

EDILINGUA

www.edilingua.it

1. a. Match the nouns and adjectives provided to either Gino or Maria, as in the example.

b. Look at each picture and then choose the correct word.

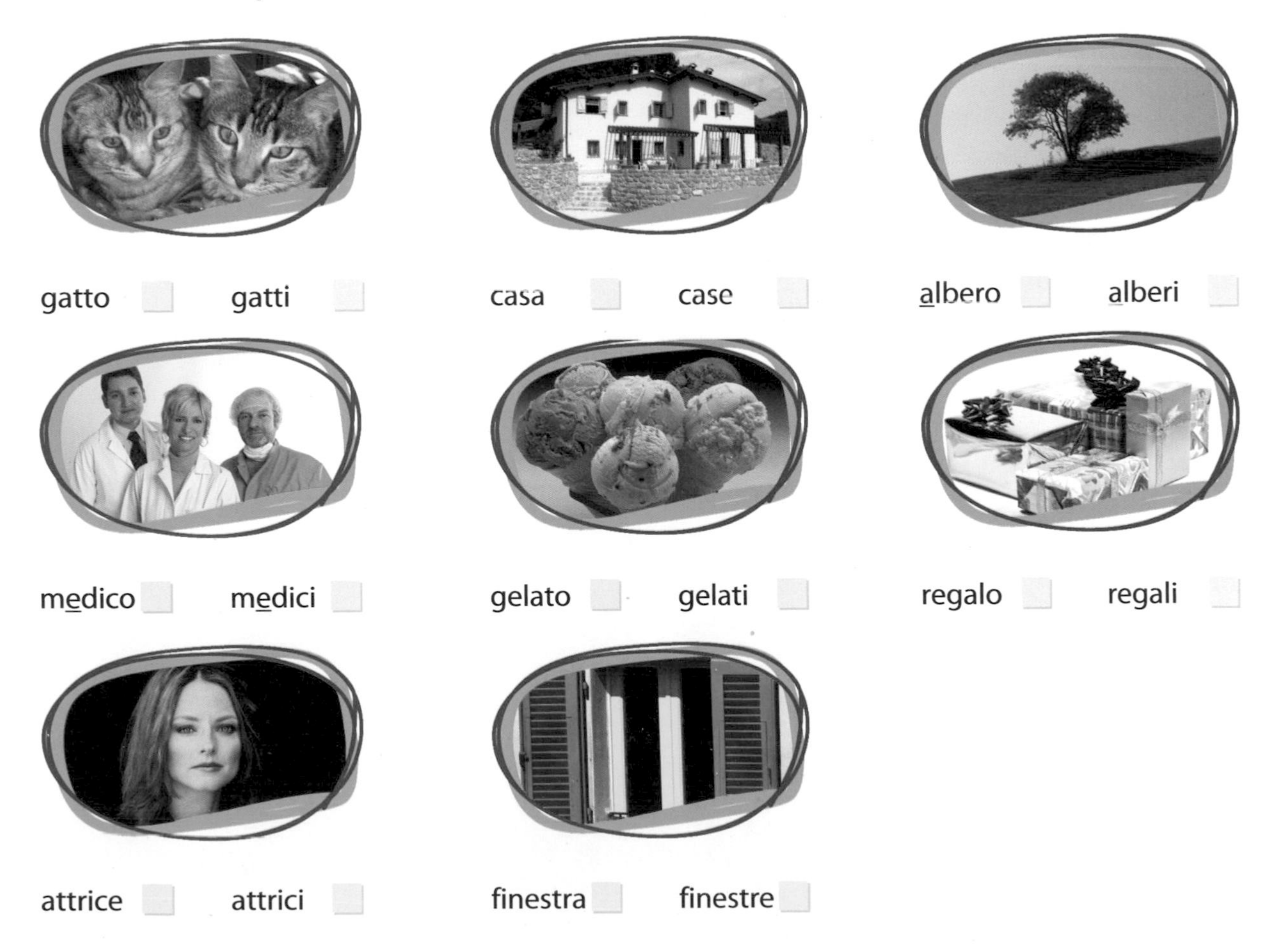

2. a. Write the following words in the plural, as in the example.

1. azione azioni
2. studente ....
3. giornale ....
4. treno ....
5. chiave ....
6. lettera ....
7. rosso ....
8. alto ....

b. Rewrite the following in the plural, as in the example.

1. casa nuova case nuove
2. libro aperto ....
3. giornale italiano ....
4. caffè amaro ....
5. borsa rossa ....
6. studente americano ....

3. Match the sentences to the people.

1. È inglese.	☐	io
2. Sono marocchino.	☐	tu
3. Siete americani?	☐	Peter
4. Sono brasiliani.	☐	noi
5. Sei spagnolo?	☐	tu e John
6. Siamo australiane.	☐	Naomi e Osvaldo

4. Use the verb essere to complete the following.

1. Voi .... italiani?
2. Tu .... argentino.
3. Noi .... studenti.
4. Io .... a scuola.
5. Maria .... alta.
6. Le finestre .... rosse.

5. Supply the correct singular article in each case.

1. .... calcio
2. .... uscita
3. .... stivale
4. .... vestito
5. .... pesce
6. .... casa
7. .... sorella
8. .... sport
9. .... aereo
10. .... immagine

6. **Match each word to the correct article, as in the example.**

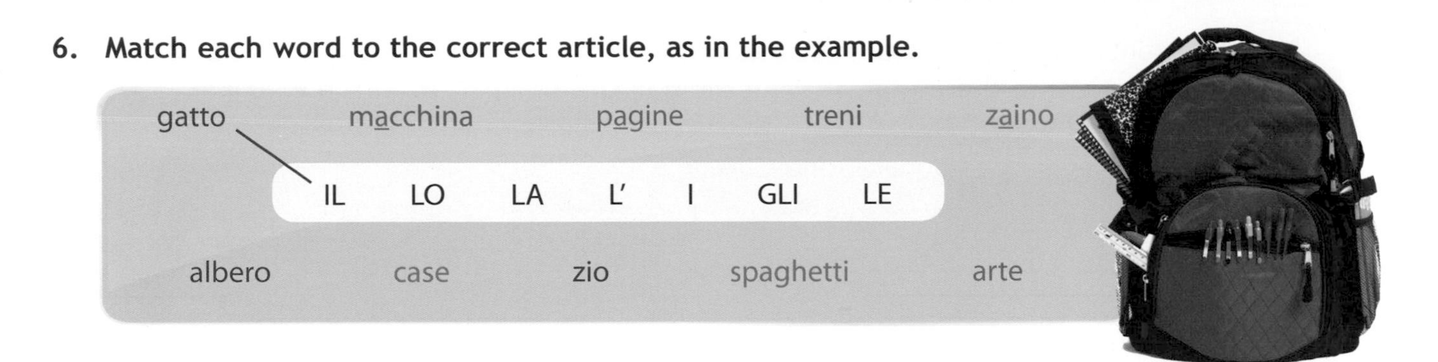

7. **Rewrite each of the following in the plural, as in the example.**

la casa   le case

1. il ristorante ....
2. la classe ....
3. lo zio ....
4. l'americano ....
5. la finestra ....
6. l'opera ....
7. la notte ....
8. il cappuccino ....

8. **a. Study the pictures and then write a sentence for each, as in the example.**

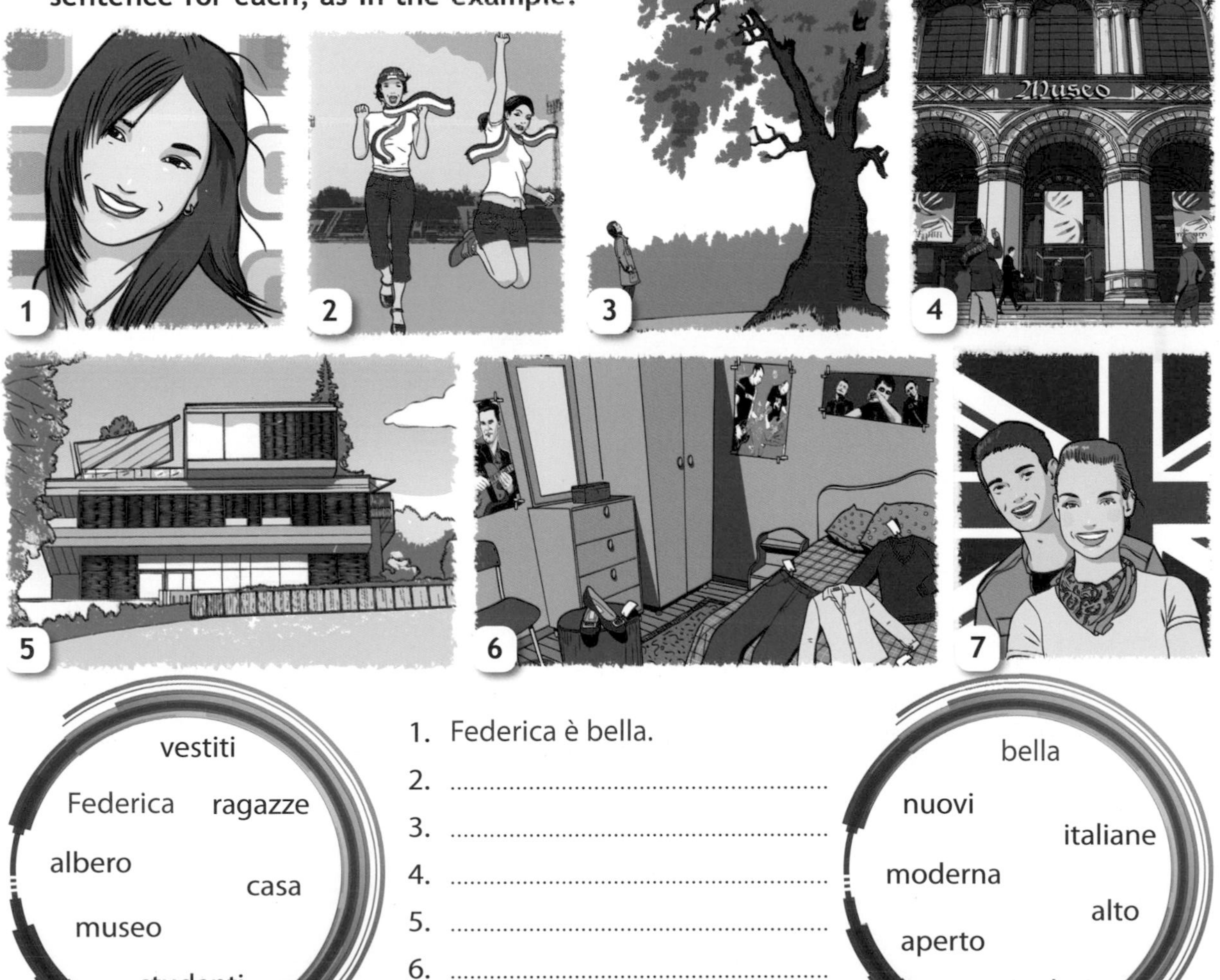

1. Federica è bella.
2. ....
3. ....
4. ....
5. ....
6. ....
7. ....

b. If the sentences from the previous activity are in the singular, rewrite them in the plural; if they are in the plural, rewrite them in the singular, as in the example.

1. Federica e Gabriella sono belle.
2. ....
3. ....
4. ....
5. ....
6. ....
7. ....

9. a. Rewrite the following in the plural. Consult the grammar section of the student's book for help.

1. il caffè ....
2. la città ....
3. il cinema ....
4. l'auto ....
5. lo sport ....
6. il bar ....
7. il problema ....
8. il turista ....
9. la regista ....
10. l'ipotesi ....

b. Match an adjective to each noun and supply the correct article.

amari rosse nuovi italiana giovani spagnolo

1. .... registe ....
2. .... caffè ....
3. .... film ....
4. .... turista ....
5. .... città ....
6. .... auto ....

10. Match the sentences below to the people, as in the example.

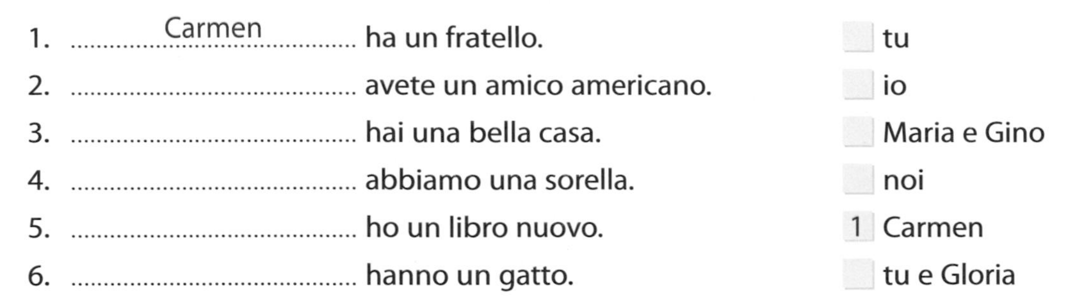

1. Carmen ha un fratello.
2. .... avete un amico americano.
3. .... hai una bella casa.
4. .... abbiamo una sorella.
5. .... ho un libro nuovo.
6. .... hanno un gatto.

- [ ] tu
- [ ] io
- [ ] Maria e Gino
- [ ] noi
- [1] Carmen
- [ ] tu e Gloria

11. Use the verb avere to complete the following.

1. Francesco è piccolo, ... 7 anni.
2. .... tu le chiavi?
3. Noi .... un problema.
4. Io ho due fratelli.
5. Gli zii .... un ristorante.
6. .... voi il giornale?

12. Using the sentence provided to guide you, supply the missing verb forms.

Io mi chiamo Amerigo.

1. Tu .... Maria?
2. Io .... Piero.
3. Lui .... Sergio.
4. Io .... Sabrina.
5. Lei .... Marcella.
6. E tu, come ....?

13. a. Complete the text.

Nome: Mariella
Cognome: Console
Nazionalità: italiana
Nata a: Roma
Età: 19 anni

Ciao, ... Mariella Console,
sono ...., di Roma,
.... 19 anni.

b. Write a text similar to the one provided.

Nome: Gino
Cognome: Romani
Nazionalità: italiana
Età: 27 anni

Nome: Jane
Cognome: Green
Nazionalità: inglese
Età: 24 anni

Ciao, mi chiamo Gino Romani,
sono italiano e ho 27 anni.

....

....

14. Write the words provided under the correct heading in the table.

~~difficile~~ - lingua - dialogo - giornale - americano - pagina - giallo - ciao - piccolo - dieci

Si pronuncia come casa	Si pronuncia come cena	Si pronuncia come gatto	Si pronuncia come gelato
	difficile		

Test finale

A Use the verb *essere* to fill in the spaces marked in black and the verb *avere* to fill in those marked in blue.

Paolo (1)............... un ragazzo italiano, (2)............... di Napoli e (3)............... 22 anni. Lui (4)............... molti amici all'università: Anna e Dolores (5)............... spagnole e (6)............... 21 anni; Jonathan (7)............... australiano e (8)............... 20 anni; Valentine, Isabelle e Amélie (9)............... francesi e (10)............... 22 anni.

B Choose the correct article in each case.

1. .... libro
a) La
b) Il
c) Lo

2. .... scuola
a) La
b) Le
c) Il

3. .... ristorante
a) La
b) Lo
c) Il

4. .... cinema
a) Il
b) Lo
c) La

5. .... latte
a) La
b) Il
c) Le

6. .... italiani
a) I
b) Gli
c) L'

C Choose the correct article and plural form for each of the following nouns.

1. Aereo
a) Le aree
b) L'aerei
c) Gli aerei

2. Giornale
a) I giornali
b) Le giornali
c) Gli giornali

3. Città
a) Le città
b) Le cittì
c) Le citté

4. Problema
a) I problema
b) I probleme
c) I problemi

5. Sport
a) I sport
b) Le sport
c) Gli sport

6. Zio
a) Le zie
b) Gli zii
c) I zi

Risposte giuste  .... /22

Un nuovo inizio

1. Supply the missing first person (io) or second person singular (tu) verb endings.

1. - Cosa guard.....? - Guardo un film di Fellini.
2. - Dove abiti? - Abit..... a Milano.
3. - Cosa ascolt.....? - Ascolto un CD di Vasco Rossi.
4. - A che ora parti domani? - Part..... alle sette.
5. - Che cosa scrivi? - Scriv..... una lettera.
6. - Quante ore dormi la notte? - Di solito, dorm..... otto ore.
7. - Parl..... italiano? - No, non parlo italiano.
8. - Cosa leggi? - Legg..... il giornale.

Federico Fellini

2. Use the verbs provided to complete the sentences.

apre • lavora • parti • parla • chiude • prende • torno • vive

1. Il bar vicino a casa di Paolo .... alle 23.
2. Dopo cena la mamma non .... mai il caffè.
3. Mario, a che ora .... per il Belgio?
4. Marco .... l'inglese, lo spagnolo e il francese.
5. Gianna .... in un'agenzia di viaggi.
6. Io .... a casa alle cinque.
7. La farmacia .... alle 9.
8. Giulia .... a Roma.

3. Complete the sentences using the first person, second person and third person (lui, lei) singular of the verbs in brackets.

1. Roberto (costruire) .... una libreria per mettere i libri.
2. - A che ora (finire) .... di lavorare?
   - Finisco alle tre.
3. Io (pulire) .... il bagno e tu (pulire) .... la cucina.
4. Aldo, quando (spedire) .... l'e-mail?
5. Il film (finire) .... tra dieci minuti.
6. - Preferisci ascoltare musica o guardare la TV?
   - (Preferire) .... ascoltare musica.
7. Brigitte (capire) .... molto bene l'italiano.
8. Laura, (preferire) .... un pezzo di pizza o un panino?

4. Complete the sentences using the first person plural (noi) of the verbs in brackets.

Antonio Tabucchi

1. A scuola, (finire) .... di leggere il libro di Tabucchi.
2. Francesco e io (prendere) .... il treno delle sette.
3. Domani (mangiare) .... gli spaghetti.
4. Io e Sara (preferire) .... il vestito rosso, è più bello.
5. (Scrivere) .... tutte le mail con attenzione.
6. (Aprire) .... la finestra?
7. Noi (lavorare) .... ogni giorno dalle 9 alle 17.
8. Non (capire) .... l'italiano, (parlare) .... solo lo spagnolo.

5. Complete the questions or answers below.

1. - Voi capite l'inglese?
   - Sì, (capire) .... l'inglese e anche il francese.
2. - Tu e Mario aprite un bed&breakfast?
   - Sì, (aprire) .... un bed&breakfast in centro.
3. - (Prendere) .... un caffè o un cappuccino?
   - Prendiamo un caffè.
4. - Ragazzi, (offrire) .... voi?
   - Sì, offriamo noi la pizza.
5. - Quando (partire) ....?
   - Partiamo oggi alle 11.
6. - Mangiate con noi?
   - No, (mangiare) .... a casa di Gabriella.
7. - Voi (ascoltare) .... musica classica?
   - No, ascoltiamo musica rock.
8. - Dove (vivere) ....?
   - Viviamo vicino a Genova.

Genova, Palazzo della Borsa in Piazza De Ferrari

6. Complete the sentences as in the example.

La farmacia chiude alle sette. ➡ Le farmacie chiudono alle sette.

1. Il museo apre alle 9.
   I musei .... alle 9.
2. Margaret capisce bene l'italiano.
   Margaret e Monique .... bene l'italiano.
3. Francesca telefona a Sergio ogni giorno.
   Francesca e Piera .... a Sergio ogni giorno.

4. Andrea parla molto.
   Anche Patrizia e Vanna .... molto.
5. Sara non prende mai l'autobus.
   Sara e Tiziana non .... mai l'autobus.
6. Anna vive in una bella casa in centro.
   Anche Stefano e Franco .... in una bella casa in centro.
7. Gianni pulisce la casa ogni settimana.
   Loro .... la casa ogni settimana.
8. Aldo legge il *Corriere della Sera*.
   Aldo e Luisa .... il *Corriere della Sera*.

7. Rewrite each of the following sentences twice, as in the examples.

Rispondo a tutte le domande.
Franco risponde a tutte le domande.
Teresa e Rosa rispondono a tutte le domande.

1. Non mangio mai al ristorante.
   Claudio ....
   Ragazzi, perché .... ?
2. Quando ho tempo, preferisco uscire con gli amici.
   Noi ....
   Paolo e Giorgio ....
3. Lavoro in centro e di solito prendo l'autobus.
   Clara ....
   Noi ....
4. Comincio a lavorare alle nove e finisco alle due.
   Marco e Giovanna ....
   Voi ....
5. Vivo in Italia da un anno, ma non capisco ancora bene l'italiano.
   Tu ....
   Voi ....
6. Telefono a Tiziana per chiedere a che ora parte il treno per Milano.
   Noi ....
   Aldo ....

Stazione Milano Centrale

8. Supply the indefinite article in each case.

1. .... amico italiano
2. .... ragazza francese
3. .... libro d'inglese
4. .... sport interessante
5. .... problema importante
6. .... finestra aperta
7. .... amica gentile
8. .... zaino pesante

9. Fill in the spaces marked in black using the verbs provided and use indefinite articles to fill in those marked in blue.

Io sono (1)....................... studente di italiano.
Io (2. avere)......................... sei compagni: Hyun-Joong (3. essere)......................... coreano, John e Nate (4. essere)......................... americani, Akiko (5. essere)......................... giapponese, Letícia è brasiliana, Kurt è tedesco e io (6. essere)......................... marocchino. Ora (7. abitare)......................... tutti a Firenze e (8. studiare)......................... italiano in (9)....................... scuola nel centro della città. Nella scuola c'è anche (10)....................... bar; nella mia classe c'è (11)....................... porta verde, (12)............................. grande finestra, (13)....................... computer e (14)....................... immagine di Firenze.

10. a. Study the pictures and then write a sentence for each, as in the example.

1. Il giardino è verde.
2. ....
3. ....
4. ....
5. ....
6. ....
7. ....

b. If the sentences from the previous activity are in the singular, rewrite them in the plural; if they are in the plural, rewrite them in the singular, as in the example.

1. I giardini sono verdi.
2. ....
3. ....
4. ....
5. ....
6. ....
7. ....

11. Supply the questions.

1. - ....?
   - Abito in Italia, a Perugia.
2. - ....?
   - Sono in Italia per imparare la lingua.
3. - ....?
   - Mi chiamo Francesca.
4. - ....?
   - Ho vent'anni.
5. - ....?
   - No, Maria è spagnola, non brasiliana.
6. - ....?
   - Sì, sono canadese, di Toronto.
7. - ....?
   - Sono di Napoli, ma abito a Roma.
8. - ....?
   - Prendi l'autobus numero 40.

Perugia, Fontana Maggiore

12. Supply the word required to complete the questions below.

1. Ciao, ... ti chiami?
2. Di .... sei?
3. Da .... tempo studi l'italiano?
4. .... lavoro fai?
5. .... si scrive in italiano "difficile"?
6. .... anni hai?

13. Choose the correct adjective in each case.

1. Chiara ha i capelli
   - neri ☐
   - rossi ☐
2. Lucia ha solo 20 anni: è
   - giovane ☐
   - vecchia ☐
3. Valeria ha i capelli
   - corti ☐
   - lunghi ☐
4. Mario è
   - alto ☐
   - basso ☐
5. Rita è
   - triste ☐
   - allegra ☐
6. Roberto Benigni è
   - simpatico ☐
   - antipatico ☐

14. If the sentences are in the *tu* form, rewrite them in the *Lei* form; if they are in the *Lei* form, rewrite them in the *tu* form.

1. Scusi, signora, per andare in centro? ....
2. Sei straniera, vero? ....
3. Ciao, come ti chiami? ....
4. Arrivederci ragazzi, a domani. ...., signora Gigli.
5. Gloria, dove abiti? Signor Casseri, ...
6. Signora, a che ora prende l'autobus? Claudio, ...

15. Complete the following using a, in, di, da, in, per.

Ciao, mi chiamo Alicia e sono spagnola, (1)................... Madrid. Sono (2)................... Italia (3)................... due mesi, sono qui (4)................... imparare l'italiano. Abito (5)................... Perugia, (6)................... via Giulio Cesare.

Test finale

A Complete the following using the correct definite (il, lo, la, i, gli, le) or indefinite (un, uno, una) article in each space.

Tommy è (1)................... cane molto simpatico e intelligente. Vive a Pisa, in (2)................... casa con (3)................... grande giardino. (4)................... suo migliore amico è Chicco, (5)................... gatto nero con (6)................... occhi verdi, che non mangia (7)................... pesce! Tommy, invece, mangia molto: anche (8)................... pizza e (9)................... spaghetti e dorme tutto (10)................... giorno.

B Choose the correct verb form in each case.

1. Signora, (1)............................ il caffè o (2)............................ il cappuccino?

   (1) a) prendi
   b) prende
   c) prendo

   (2) a) preferisce
   b) preferisco
   c) preferisci

2. Gli amici di Luana (1)............................ stasera: (2)............................ il treno delle nove.

   (1) a) partite
   b) partiamo
   c) partono

   (2) a) prendo
   b) prendono
   c) prendete

3. Giorgio e Riccardo non (1)............................ bene l'inglese, però (2)............................ tutto.

   (1) a) parla
   b) parliamo
   c) parlano

   (2) a) capisce
   b) capite
   c) capiscono

4. • Io sono Stefano, piacere.
   • (1)............................ Io sono Valeria.

   (1) a) Salve!
   b) Piacere!
   c) Arrivederci!

   • Buongiorno, signora Letta.
   • Buongiorno, (2)............................ Lorenzo? E la mamma?
   • Bene, tutti bene. Grazie!

   (2) a) come stai
   b) complimenti
   c) scusi

5. Io (1)............................ questo lavoro e (2)............................ per le vacanze.
   (1) a) finisco
   b) finisci
   c) finite
   (2) a) parti
   b) parto
   c) parte

6. La mamma non (1)........................... la casa ogni giorno perché (2)........................... tutta la settimana.
   (1) a) puliamo
   b) pulisce
   c) pulisci
   (2) a) lavoro
   b) lavori
   c) lavora

7. È un libro (1)..........................., ma molto (2)...........................
   (1) a) difficili
   b) difficoltà
   c) difficile
   (2) a) interessante
   b) interesse
   c) interessanti

8. Mary è una ragazza (1).......................... e non (2)...........................
   (1) a) inglesi
   b) inglese
   c) inglesa
   (2) a) americana
   b) americani
   c) americane

C Complete the crossword.

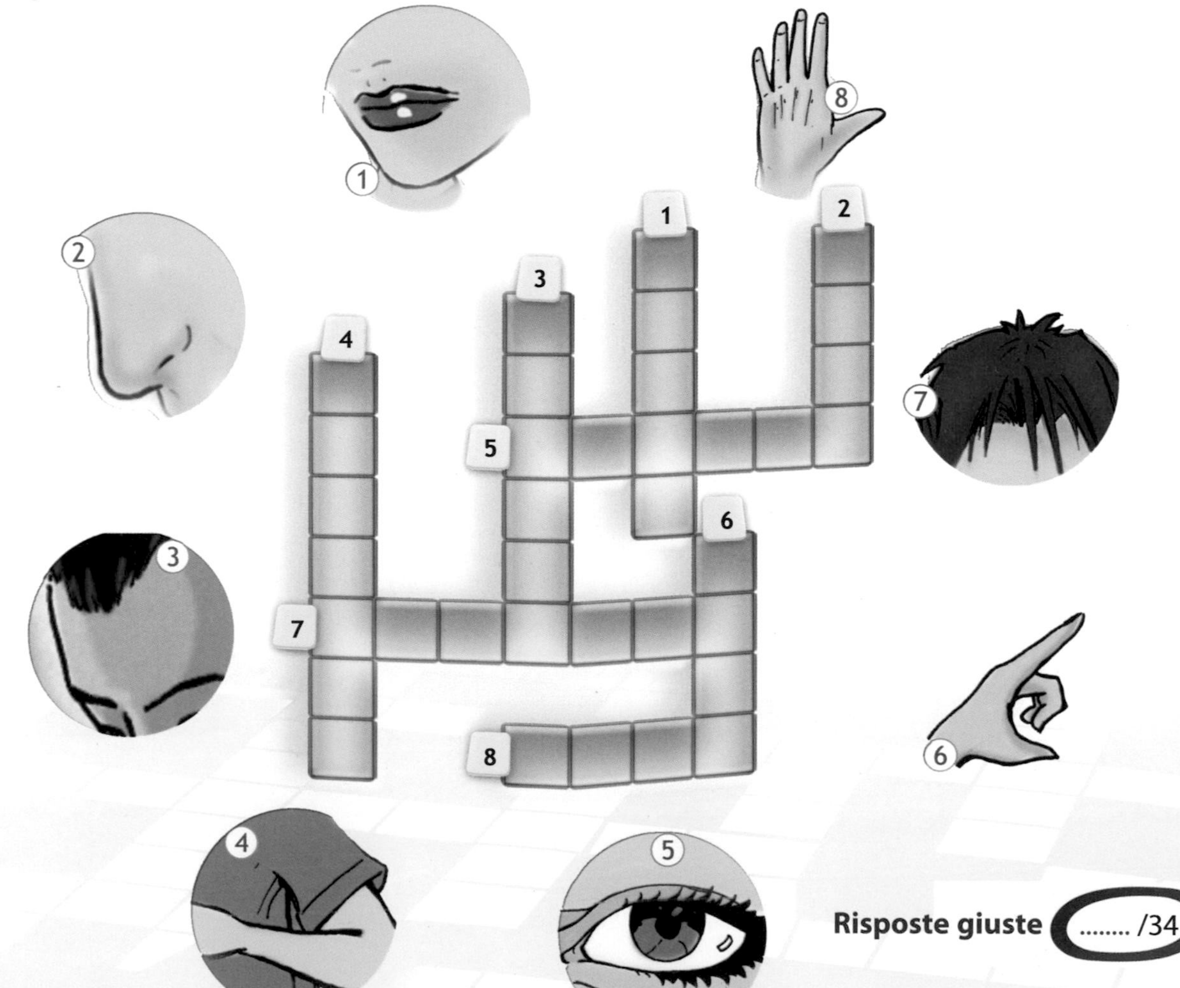

Risposte giuste .... /34

Attività Video - episodio *Un nuovo lavoro*

Per cominciare...

Read the words below taken from page 15 of the student's book. Which of these will you come across in the video clip, do you think?

notizia importante orario agenzia casa direttore gentile fortunata

Guardiamo

Watch the clip and match the lines to the correct photo.

1. *Pronto? Ehi, ciao Lorenzo! Come va?*
2. *E tu, dove abiti, Gianna?*
3. *Buongiorno! Sei Gianna, no?*
4. *Ciao Michela, ci vediamo domani!*

a.

....

b.

....

c.

....

d.

....

Facciamo il punto

1 With a partner, try to describe the two women featured.

	capelli	occhi	altro	
GIANNA	....	....	☐ magra	☐ grassa
	....		☐ bionda	☐ mora
MICHELA	....	....	☐ alta	☐ bassa
	....		☐ bionda	☐ castana

2 Study the pictures on this page and, verbally, briefly summarise the episode.

Come passi il tempo libero?

1. a. Produce sentences by matching an element from the left to one on the right.

1. Antonio e Sergio sono molto sportivi:
2. Quest'anno dove andate
3. Domani Maria e Bruno
4. Qualche volta
5. Domani sera cosa facciamo,
6. Se andate al supermercato,

a. tu e Mariella in vacanza?
b. vengo anch'io per comprare il latte.
c. vado a mangiare al ristorante.
d. vengono a casa mia.
e. vanno in palestra due volte alla settimana.
f. andiamo al cinema?

b. Use the present tense of the verb *andare* to fill in the spaces marked in black and the present tense of the verb *venire* to fill in those marked in blue.

Lago di Garda

1. Noi, il fine settimana .... sempre al lago.
2. Ragazzi, dove ....? .... anche noi?
3. Franco, se .... solo al cinema, ... io con te.
4. Ragazzi, ... con noi al bar a bere qualcosa?
5. La settimana prossima Marta .... in Francia.
6. Quando hai tempo libero, ... a giocare a calcio?
7. Dino e Paolo, ... con l'autobus o .... in macchina con noi?
8. Gino .... spesso a prendere il caffè da me.

2. Complete the sentences using the present tense of andare or venire.

1. Ciao Mario, la settimana prossima noi .... al concerto dei Negrita. .... con noi?
2. Vincenzo, ... all'università? Se aspetti, (io) .... con te.
3. Carla, oggi .... in ufficio con me?
4. Margaret è a Parigi con me e Monique .... in Italia, parte alle 21.
5. Oggi resto a casa, non .... a casa di zia Maria con voi.
6. Sara .... in centro con me, con il metrò.

3. Supply the missing verb endings. Consult the grammar section of the book for help.

1. Nicola, da........ questo DVD alla mamma per favore?
2. - Aldo, cosa cerc........ nello zaino? - Cerc........ il libro di storia.
3. Perché i ragazzi non esc........ stasera?
4. Voi sap........ a che ora parte il treno?
5. Aldo e Massimo sono medici, fa........ un lavoro molto interessante.
6. Domani, la classe 3F cominci........ la lezione alle 11. Noi, ragazzi, cominci........ alle 10.

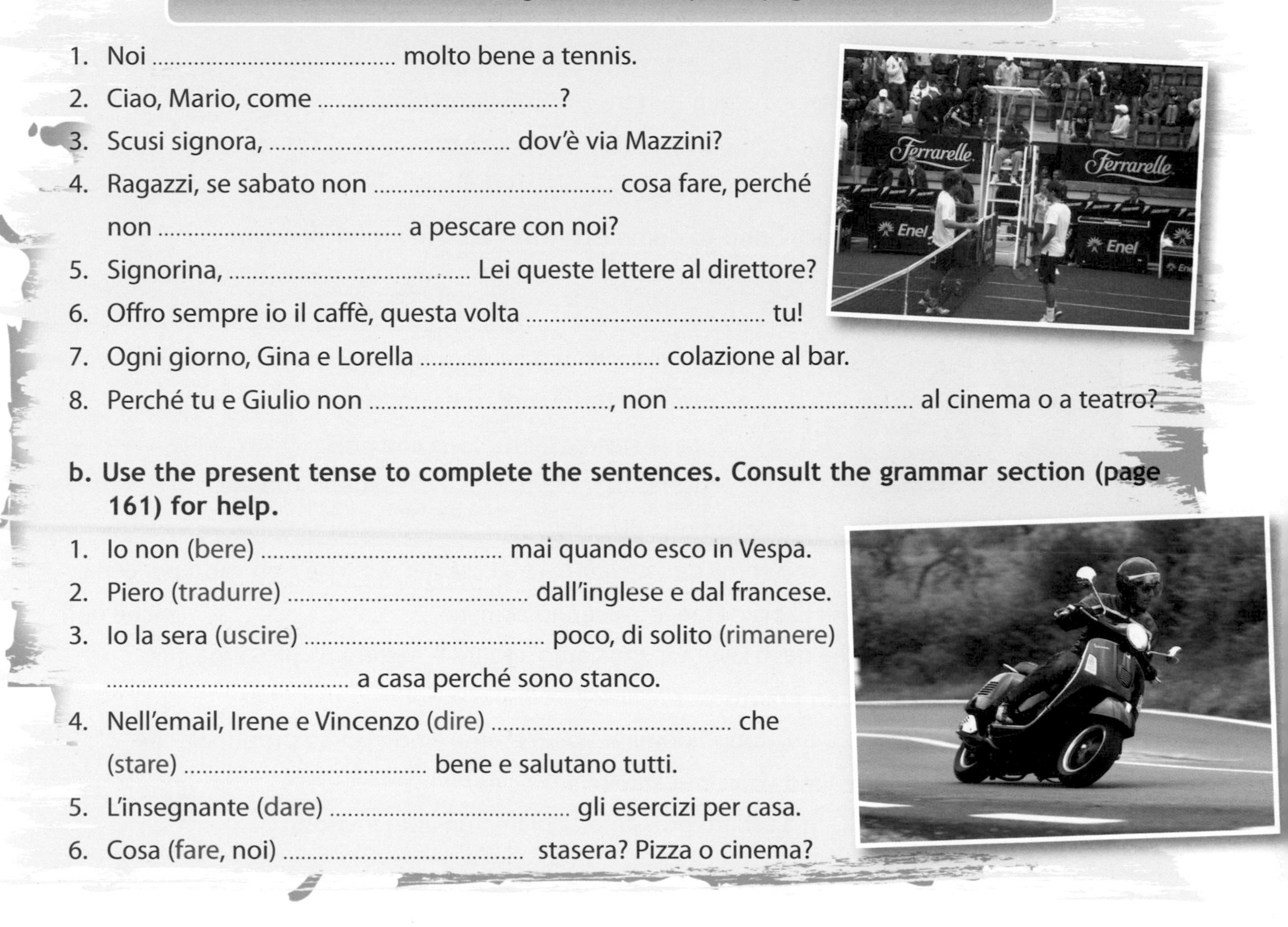

4. **a. Use the verbs provided to complete the sentences.**

uscite • dà • fanno • andate • giochiamo • sapete • paghi • venite • sa • stai

1. Noi .... molto bene a tennis.
2. Ciao, Mario, come ....?
3. Scusi signora, ... dov'è via Mazzini?
4. Ragazzi, se sabato non .... cosa fare, perché non .... a pescare con noi?
5. Signorina, ... Lei queste lettere al direttore?
6. Offro sempre io il caffè, questa volta .... tu!
7. Ogni giorno, Gina e Lorella .... colazione al bar.
8. Perché tu e Giulio non ...., non .... al cinema o a teatro?

b. Use the present tense to complete the sentences. Consult the grammar section (page 161) for help.

1. Io non (bere) .... mai quando esco in Vespa.
2. Piero (tradurre) .... dall'inglese e dal francese.
3. Io la sera (uscire) .... poco, di solito (rimanere) .... a casa perché sono stanco.
4. Nell'email, Irene e Vincenzo (dire) .... che (stare) .... bene e salutano tutti.
5. L'insegnante (dare) .... gli esercizi per casa.
6. Cosa (fare, noi) .... stasera? Pizza o cinema?

5. **Rewrite the sentences as in the example. Consult the grammar section (page 163) for help.**

Il sabato sera vado spesso a teatro.
(Tu) Il sabato sera vai spesso a teatro.

1. Ogni sabato faccio sport.
   Mario ....
2. Sabina dà il numero di telefono a Robert.
   Sabina e Carla ....
3. Per colazione bevo solo un caffè amaro.
   (Voi) ....
4. Domani gioco a calcio con gli amici.
   (Noi) ....
5. Milena hai voglia di uscire o rimani a casa?
   Ragazze, ...

6. Silvia dice sempre la verità.
   Noi ....
7. Alessia, vieni con noi in discoteca?
   Ragazzi, ...
8. Quando Luigi va al cinema, sceglie sempre film con attori famosi.
   (Io) ....

6. 6. Use the expressions provided to complete the following mini dialogues.

Daniele Silvestri

andiamo - d'accordo - ci dispiace - no, grazie - non può - volentieri

1. - Ho due biglietti per il concerto di Daniele Silvestri. Vuoi venire?
   - Certo! Ho tutti i suoi cd e vengo ....
2. - Cosa fa stasera Piero? Esce con noi?
   - Stasera, ..., vuole studiare.
3. - Perché non andiamo a mangiare una pizza?
   - ...., ma prima devo telefonare a casa per dire che non vado per cena.
4. - Questo fine settimana Paola e Francesca vanno al mare! .... anche noi?
   - Questo fine settimana devo lavorare. Possiamo andare la settimana prossima.
5. - Domani noi andiamo a pranzo da zia Fiorella, vieni con noi?
   - ...., purtroppo domani ho un esame e non posso proprio venire.
6. - Ragazzi, sabato prossimo vogliamo andare alla Scala?
   - ...., ma sabato prossimo abbiamo un altro invito.

7. Rewrite the following sentences in the plural (io ➡ noi, tu ➡ voi, lui/lei ➡ loro) or vice versa.

1. Io voglio visitare Firenze.
   .... Firenze.
2. Non posso fare tutto oggi.
   .... oggi.
3. Alba e Chiara non possono restare con noi oggi.
   Sergio non .... con noi oggi.
4. Gianna deve fare attenzione in macchina.
   Tutti .... in macchina.
5. Perché tu non puoi pronunciare bene la zeta?
   Ragazzi, perché non .... bene la zeta?
6. Adesso dovete andare perché il treno parte.
   Luigi, ... perché il treno parte.
7. Volete uscire con noi stasera?
   .... con noi stasera?

Firenze, Ponte Vecchio

8. Devo andare al supermercato, ma non ho voglia.
   .... al supermercato, ...

8. Use the verbs *dovere*, *potere*, *volere* to fill in the spaces marked in black; use the words and expressions provided to fill in those marked in blue.

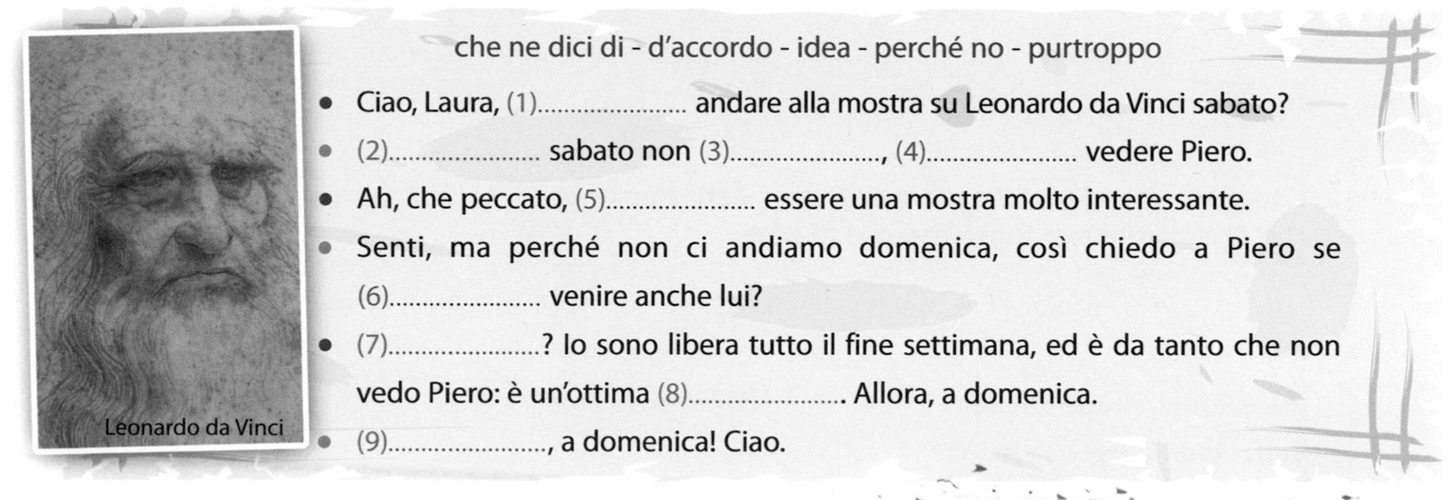

Leonardo da Vinci

che ne dici di - d'accordo - idea - perché no - purtroppo

- Ciao, Laura, (1).................... andare alla mostra su Leonardo da Vinci sabato?
- (2).................... sabato non (3)...................., (4).................... vedere Piero.
- Ah, che peccato, (5).................... essere una mostra molto interessante.
- Senti, ma perché non ci andiamo domenica, così chiedo a Piero se (6).................... venire anche lui?
- (7)....................? Io sono libera tutto il fine settimana, ed è da tanto che non vedo Piero: è un'ottima (8).................... Allora, a domenica.
- (9)...................., a domenica! Ciao.

9. Write the numbers out in full, as in the example.

312 = trecentododici

a. 259 = ...
b. 1.492 = ...
c. 673 = ...
d. 14° = ...
e. 1.988 = ...
f. 8° = ...
g. 871 = ...
h. 10° = ...
i. 745 = ...
l. 467 = ...

10. Complete the following using the expressions provided on the right.

facebook

Nuovo messaggio

A: Ezio

Caro Ezio,
devo finire un lavoro e oggi sono ancora (1)........................., ma domani parto (2)......................... Quest'anno non vado all'estero, rimango (3)........................., voglio andare (4)......................... e (5)......................... con me viene il mio amico Bruno: viene (6)......................... uno o due giorni prima e poi partiamo insieme (7).........................(8)......................... dell'Alitalia.

Ciao!
Nicola

Aggiungi file Aggiungi foto

a Roma
da Bari
in Italia
con l'aereo
da me
in ufficio
in vacanza
per le vacanze

11. Supply the prepositions required to complete the following.

Carla abita (1)........................ Roma, (2)........................ un piccolo appartamento: cucina, bagno e camera da letto. È contenta perché è (3)........................ centro, vicino all'università, ed è molto fortunata perché paga poco d'affitto. Carla lavora part-time (4)........................ un'agenzia di viaggi, quattro ore ogni mattina. La sera, anche quando è molto stanca, ha sempre voglia di uscire, di andare (5)........................ bar o (6)........................ Michela. Spesso, con Cinzia e Gabriella vanno (7)........................ teatro o (8)........................ cinema.

12. Complete the text using the words provided: the verbs in the spaces marked in black and the prepositions in those marked in blue.

a • a • a • al • al • da • in • in • deve • fa • mangia • rimane • va

Piero è uno studente, abita (1)................. Napoli dove studia Lettere. Tutti i giorni, dopo la lezione, va (2)................ biblioteca e lì (3)........................... tutta la mattina. Alle 12 (4)........................... un panino (5)................. bar dell'università e poi torna a studiare. È molto bravo, (6)......................... finire presto per andare (7)................ fare un Master in Inghilterra.

Piero ama molto il cinema, per esempio, la sera (8).......................... spesso (9)................ Antonio, un suo amico, a vedere dei film. Il fine settimana, qualche volta, (10).......................... delle gite (11)................ mare, o (12)................ montagna.

Dopodomani, invece, va (13)................ una festa.

13. Use the expressions di affitto, da solo, in aereo, in centro, in vacanza, in ufficio to complete the questions.

1. - Dove andate .... quest'anno?
   - Quest'anno andiamo in montagna.
2. - Dove abiti? Abiti ....?
   - No, abito in periferia.
3. - Vai .... al mare?
   - No, al mare, vado con i miei amici.
4. - Paghi molto ....?
   - Non pago poco, pago 500 euro.
5. - Vai .... a piedi?
   - No, prendo l'autobus, per non fare tardi.
6. - Parti .... per Venezia?
   - No, preferisco partire in treno.

14. Complete the crossword.

Orizzontali

2. Il giorno dopo il mercoledì.
5. Ha sette giorni.
7. Il momento della giornata prima di mezzogiorno.
8. Il giorno prima della domenica.
9. Il giorno prima di mercoledì.
10. Il giorno dopo il fine settimana.

Verticali

1. Il settimo giorno della settimana.
3. Il quinto giorno della settimana.
4. Il giorno dopo oggi.
6. Il giorno dopo il martedì.

15. Say what time it is, as in the example.

Sono le quattro e quarantotto.
Sono le cinque meno dodici.

....
....

....
....

....
....

....
....

....
....

16. Use the words provided to complete the text. Pay attention to the agreements!

biglietto - macchinetta - metropolitana - stazione - tabaccheria - mezzi di trasporto

Per visitare Milano è molto semplice ed economico utilizzare i (1).. pubblici. Ci sono venti linee di autobus e di tram e quattro di (2)..
Puoi comprare i (3).. al bar, in (4).., in edicola, o nelle (5).. della metropolitana alle (6).. automatiche.

Adattato da *www.aboutmilan.com*

Test finale

A Complete the following using the verbs in brackets.

Luca lavora in centro. Ogni giorno (1. andare).............................. in ufficio a piedi, qualche volta (2. prendere).............................. l'autobus. Di solito, (3. uscire).............................. di casa alle 8, in Piazza Mazzini (4. vedere).............................. Davide, un suo collega, e (5. fare).............................. colazione insieme prima di andare in ufficio. Oggi, Luca e Davide, quando (6. finire).............................. di lavorare, (7. volere).............................. andare allo stadio, perché (8. giocare).............................. la nazionale cantanti. Non (9. sapere).............................. ancora se (10. andare).............................. da soli o con Lucia e Gabriella.

B Choose the correct option in each case.

1. Enzo, (1)............................ spesso a calcio? Un giorno (2)............................ giocare con noi?

(1)	(2)
a) giochiamo	a) vuoi
b) gioco	b) deve
c) giochi	c) sai

2. Se Giorgio (1)............................ con noi, (2)............................ andare con una macchina.

(1)	(2)
a) viene	a) possiamo
b) vieni	b) vogliamo
c) vengo	c) sappiamo

3. • Cara, stasera (1)............................ al cinema?
   • (2)............................ Che film vuoi vedere?

(1)	(2)
a) vogliamo	a) Vuoi venire?
b) andiamo	b) Volentieri!
c) vediamo	c) Perché sì?

4. L'appartamento di Roberto è grande: ha tre (1)............................, due bagni, la cucina, il soggiorno e un bellissimo (2)............................ con una grande libreria.

(1)	(2)
a) camere con letto	a) balcone
b) camere di letto	b) studio
c) camere da letto	c) ripostiglio

5. Il mio ufficio è al (1).............4°............ piano, l'ufficio del direttore è al (2)............18°............ .

(1)	(2)
a) terzo	a) diciottesimo
b) quinto	b) diciassettesimo
c) quarto	c) sedicesimo

6. Quando vado (1).......................... mia madre in centro, preferisco andare (2).......................... autobus.

(1)	(2)
a) in	a) di
b) da	b) in
c) a	c) con

7. Sono le (1).............11.15............ ed è (2).........................., domani è venerdì.

(1)	(2)
a) undici quindici	a) lunedì
b) undici e un quarto	b) martedì
c) undici e quarto	c) giovedì

8. Sono le (1).............8.35............ e Giuseppe è ancora (2).......................... letto.

(1)	(2)
a) otto e trentacinque	a) da
b) nove meno venticinque	b) in
c) venticinque alle nove	c) a

C Complete the crossword.

ORIZZONTALI

1. Il dialogo tra un cantante o un attore famoso e un giornalista.
3. Per entrare al cinema, al teatro, a un museo o per prendere l'autobus o il metrò devo avere il...
5. Un palazzo alto ha molti...
7. Sono dodici in un anno.
8. La camera della casa dove facciamo la doccia.
9. Dire di sì a un invito.
10. Cosa dico per salutare quando entro in un bar la mattina?

VERTICALI

2. Ha sette giorni.
4. La camera della casa dove cuciniamo e mangiamo.
6. Lo sport più famoso in Italia e non solo.

1 2 3 4 5 6 7 8 9 10

Risposte giuste .... /36

Attività Video - episodio *Che bella casa!*

Per cominciare...

1 **Some of the words below appeared in unit 2 of the student's book. Do you remember what they mean? Which of the words are to do with the home?**

concerto   appartamento   prefisso   Natale   affitto   soggiorno

2 **Watch the first 30 seconds of the clip. With a partner, try to guess what happens next. How will the episode end, do you think?**

Guardiamo

1 **Watch the clip all the way through. Were you right?**

2 **What do the people in the clip say? Match the words below to a picture.**

confusione ☐   comodo ☐   carino ☐   grande ☐

a.

b.

c.

d.

Facciamo il punto

1 **Put the lines in chronological order and then match them to either Lorenzo (L) or Gianna (G) as in the example. If you need to, watch the episode again.**

☐	☐	Senti, vuoi bere qualcosa?
☐	☐	Perfetto! Andiamo allora.
☐	☐	Lo sai, sono disordinato.
☐	☐	Beviamo qualcosa fuori!
☐	☐	Proprio bella la tua casa!
1	L	L'ascensore è in fondo a destra!

2 **With a partner, study the photos and describe what is happening in each.**

a.

b.

c.

3 **Turn to page 33 of the student's book. Which of the expressions highlighted in blue do Lorenzo and Gianna use?**

d.

e.

1° test di ricapitolazione

1° test di ricapitolazione (unità introduttiva, 1 e 2)

A Supply the definite article in each case.

1. .... finestra	4 .... libri	7. .... bicchiere	10. .... amico
2. .... città	5. .... palazzi	8. .... orologio	11. .... lezione
3. .... studenti	6. .... albero	9. .... giornale	12. .... pagina

.... /12

B Rewrite the following in the plural.

1. la casa grande ....
2. il problema grave ....
3. il mare azzurro ....
4. l'unità facile ....
5. la macchina nuova ....
6. il libro francese ....
7. la gonna verde ....
8. il film interessante ....

.... /8

C Complete the sentences using the verbs provided.

facciamo • comprano • aprono • arriviamo • vanno • chiudono
arriva • parliamo • finisce • leggono • ha • mangi

1. Noi .... l'italiano, ma .... ancora tanti errori.
2. Giorgio .... di lavorare alle sei di sera.
3. Stefania e Luca .... spesso in discoteca.
4. Francesco .... una bella casa sul lago.
5. Mauro e Gianni tutte le mattine .... il giornale e .... le notizie sportive.
6. Carmen .... sempre tardi agli appuntamenti. Noi, di solito, ... sempre 5 minuti prima.
7. Alcuni negozi .... alle nove e .... alle cinque.
8. Tu .... sempre così poco?

.... /12

D Supply the indefinite article in each case.

1. .... notte	4. .... schema	7. .... studente	10. .... ragazzo
2. .... orologio	5. .... tassista	8. .... gonna	11. .... studentessa
3. .... famiglia	6. .... gelato	9. .... madre	12. .... appartamento

.... /12

E Read the text and decide which statement is true in each case.

Sono le otto e Carlo fa colazione. Saluta la madre e va all'università. Alle nove ha lezione di storia e alle dodici lezione d'inglese. All'una e trenta va a mangiare con alcuni amici; finiscono di mangiare alle due e mezzo. Vanno al bar e prendono un caffè. Sono già le quattro; alle quattro inizia la lezione di storia dell'arte: Carlo saluta i suoi amici e torna subito all'università per seguire la lezione, che finisce alle sei. Carlo è libero di tornare a casa: prende l'autobus e alle sette è a casa. Alle otto mangia con la famiglia e vede un po' di televisione, alle undici e mezza va a letto.

1. Alle nove Carlo
   - ☐ a. è all'università
   - ☐ b. è ancora a casa sua
   - ☐ c. prende un caffè al bar

2. A mezzogiorno Carlo
   - ☐ a. ha lezione di storia
   - ☐ b. va a mangiare
   - ☐ c. ha lezione d'inglese

3. All'una e mezzo Carlo
   - ☐ a. mangia con i suoi amici
   - ☐ b. finisce di mangiare
   - ☐ c. beve un caffè al bar

4. Alle sei Carlo
   - ☐ a. è libero
   - ☐ b. ha ancora una lezione da seguire
   - ☐ c. resta all'università

5. Alle sette Carlo
   - ☐ a. torna a casa
   - ☐ b. saluta gli amici
   - ☐ c. va al bar

6. Alle otto Carlo
   - ☐ a. va a letto
   - ☐ b. guarda la televisione
   - ☐ c. esce con gli amici

.... /6

F Complete the sentences using the present tense of the verbs in brackets.

1. Noi non (sapere) .... se Luisa (arrivare) .... domani.
2. Io non (potere) .... restare, (dovere) .... tornare a casa.
3. Io non (sapere) .... usare bene il computer.
4. Noi (dovere) .... partire domani molto presto.
5. Lui la mattina non (bere) .... il caffè, ma un tè.
6. Dino (dire) .... sempre le stesse cose!
7. Io (spedire) .... un'e-mail a un vecchio amico.
8. Signora, (volere) .... venire a Capri questo fine settimana?

.... /10

Risposte giuste .... /60

1. Study the photos and complete the sentences. Use the prepositions in and su combined with the appropriate article in each case.

La lettera

Il computer

Il gatto

I libri

I fiori

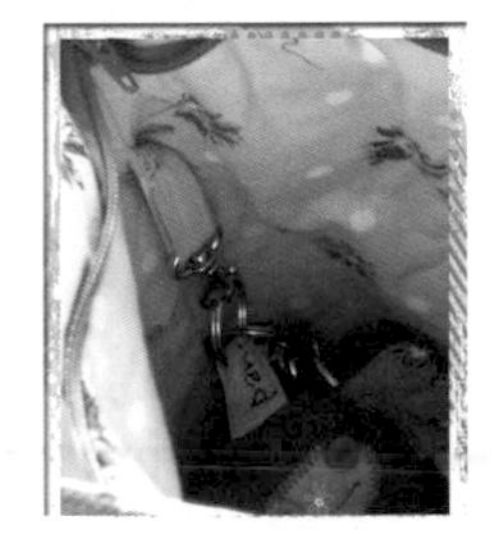
Le chiavi

1. La lettera ....
2. Il computer ....
3. Il gatto ....
4. I libri ....
5. I fiori ....
6. Le chiavi ....

2. Complete the following using prepositions from the list provided.

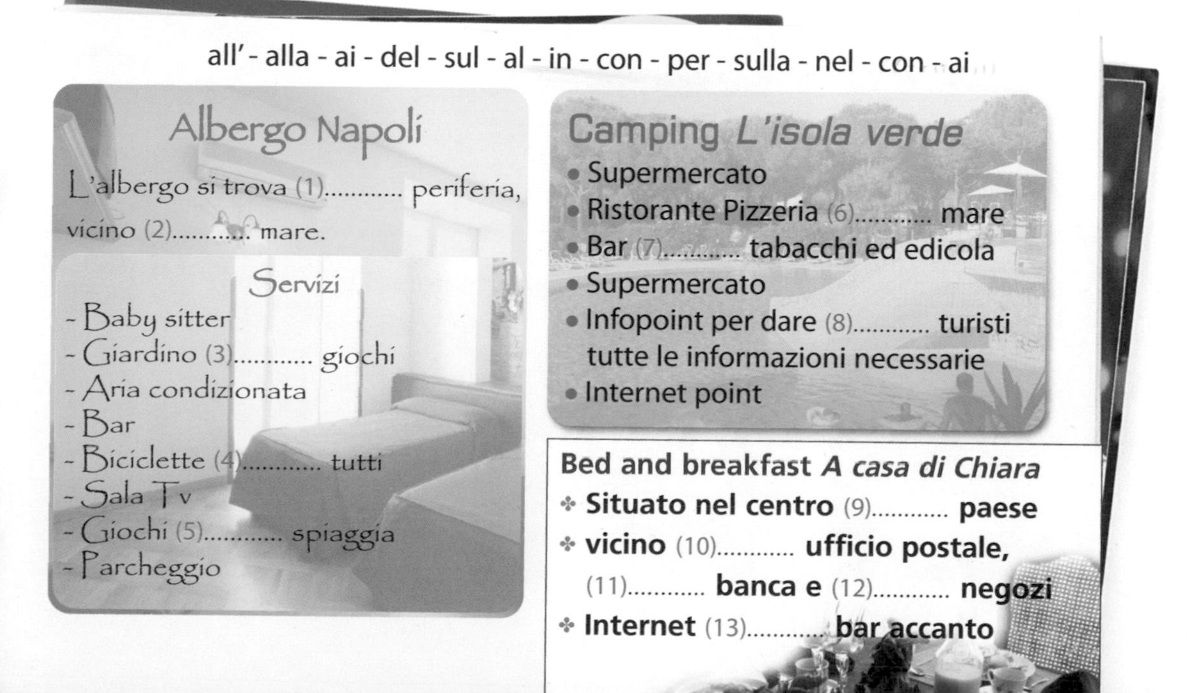

all' - alla - ai - del - sul - al - in - con - per - sulla - nel - con - ai

Albergo Napoli

L'albergo si trova (1)............ periferia, vicino (2)............ mare.

Servizi
- Baby sitter
- Giardino (3)............ giochi
- Aria condizionata
- Bar
- Biciclette (4)............ tutti
- Sala Tv
- Giochi (5)............ spiaggia
- Parcheggio

Camping *L'isola verde*
- Supermercato
- Ristorante Pizzeria (6)............ mare
- Bar (7)............ tabacchi ed edicola
- Supermercato
- Infopoint per dare (8)............ turisti tutte le informazioni necessarie
- Internet point

Bed and breakfast *A casa di Chiara*
- **Situato nel centro** (9)............ **paese**
- **vicino** (10)............ **ufficio postale,** (11)............ **banca e** (12)............ **negozi**
- **Internet** (13)............ **bar accanto**

3. Complete the sentences using da or di combined with the correct definite article.

1. .... balcone di casa vedo il mare!
2. Passiamo la serata .... signori Baraldi.
3. Pierre ha un nome francese, ma viene .... Olanda.
4. Questo signore è il direttore .... agenzia dove lavoro.
5. Dov'è la casa .... genitori di Stella?
6. Domani pomeriggio devo andare .... dottore.
7. Questo è il libro .... studente e questo il quaderno .... esercizi.
8. Puoi telefonare a Piero stasera: è a casa .... otto in poi.

4. Complete the sentences using a preposition (combined with the definite article if required) in each space.

1. La posta è vicino .... fermata .... autobus.
2. Quanti giorni pensate di restare .... mia città?
3. La settimana prossima parto .... Francia.
4. Zio Roberto viene stasera .... 8 e le 9.
5. Se cerchi le chiavi di casa, sono .... mia borsa.
6. Giorgia arriva .... aereo .... otto.
7. Siamo tutti .... bar .... guardare la partita.
8. La mia casa è vicino .... università.

5. Study the pictures and then write a sentence for each, as in the example.

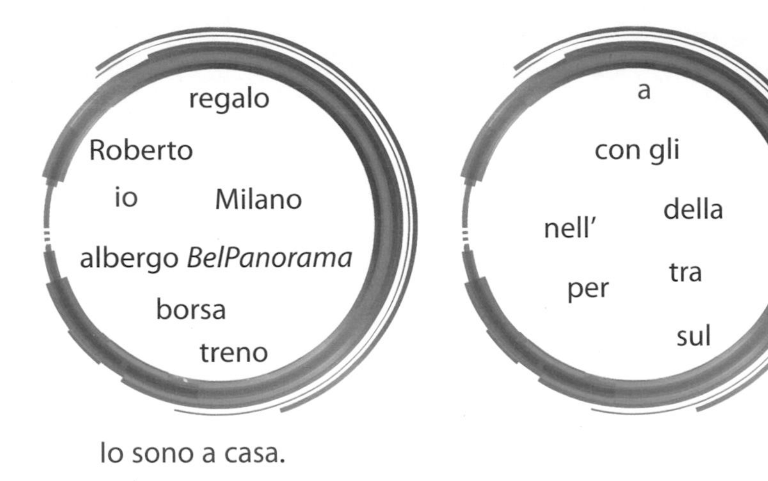

Io sono a casa.

1. ....
2. ....
3. ....
4. ....
5. ....
6. ....

6. Complete the sentences using a preposition (combined with the definite article if required) in each space.

1. Sono .... biblioteca. / Sono .... biblioteca dell'università.
2. Aspetto Maria .... ufficio. / Aspetto Maria .... ufficio del direttore.
3. Vado .... Argentina. / Vado .... Argentina del Sud.
4. Telefono .... Rita. / Telefono .... mia collega.
5. Parliamo .... sport. / Parliamo .... sport più famoso in Italia.
6. Parto .... treno. / Parto .... treno delle sette, dalla stazione centrale.
7. Uno .... voi deve uscire. / Una .... ragazze deve uscire.
8. Questa sera andiamo .... teatro. / Questa sera andiamo .... teatro Ariston.

7. Choose the correct preposition in each case.

1. Vado a fare un viaggio in/per Russia.
2. La prossima estate penso di andare per la/nella Francia del Sud.
3. Venite anche voi da/a casa di Domenico?
4. Questo fine settimana parto per/a Torino.
5. Marco domani torna ai/dagli Stati Uniti.
6. I miei amici lavorano a/in banca.
7. Stasera andiamo tutti da/a Giulio? Organizza una festa.
8. La lezione di italiano è dalle/nella dieci alle dodici.

8. Use the words provided to fill in the spaces marked in blue; use prepositions or prepositions combined with the article to fill in those marked in red.

HOME | PRIVATI | PROFESSIONISTI E PMI | IMPRESE E PA

150 Posteitaliane

cassetta delle lettere • pacchi • francobollo • posta elettronica • lettere

Il modo più comodo e facile (1)................................. spedire lettere (2)................................. Italia e (3)................................. estero.

Come? O mettiamo il (4)................................., che possiamo comprare (5)................................. posta o (6)................................. tabaccheria, e imbuchiamo la lettera in una (7)................................. oppure ora possiamo spedire telegrammi e (8)................................. anche dal pc. E con il servizio "pacco-web" possiamo mandare (9)................................. web (10)................................. in tutta Italia.

Indirizzo di (11).................................: www.poste.it

Adattato da www. poste.it

9. Complete the following forum messages using a preposition or a preposition combined with the article.

Viaggi e vacanze

SANDRO 25 — Quote

(1)......................... un mese parto (2)......................... Milano. Accetto idee di tutti i tipi.

Mi piace 0

AA_96 — Quote

Che bello! Quando ci vai? Vai (3)......................... amici o (4)......................... solo?

Mi piace 0

SANDRO 25 — Quote

Ci vado (5)......................... dicembre. Non so ancora (6)......................... chi vado.

Mi piace 0

GIOVANNIN BONGEE — Quote

Se hai molti giorni, puoi visitare la città (7)......................... piedi e girare (8)......................... vie del centro.

Mi piace 1

MILANESE_1987 — Quote

Esistono biglietti speciali (9)......................... mezzi pubblici. Puoi usare questi biglietti 24 ore (3 €) o 48 ore (4,50 €): puoi prendere tutti gli autobus e le metropolitane che vuoi, e così puoi visitare molti luoghi (10)......................... città.

Mi piace 3

10. Rewrite the following sentences in the plural, as in the example.

Compro un regalo a Gianni.
Compriamo dei regali ai ragazzi.

1. Ho un amico australiano. ....
2. Porta un vestito nero. ....
3. Spedisco una lettera. ....
4. Esce spesso con una ragazza italiana. ....
5. Viene a cena una persona importante. ....
6. Luca è un bravo ragazzo. Luca e Paolo ....

11. Answer the questions.

1. A che ora chiude il parco in estate?
....
2. A che ora chiude il negozio *Bucalo* la domenica?
....
3. Il sabato, qual è l'orario di apertura del negozio *Bucalo*?
....
4. Quando sono aperti i musei del Castello Sforzesco?
....
5. Qual è l'orario di apertura del negozio *Modà* nel pomeriggio?
....
6. Qual è il giorno di chiusura del negozio *Modà*?
....
7. A che ora inizia lo spettacolo teatrale?
....
8. Mercoledì sera, a che ora chiude la biblioteca?
....

12. Complete the sentences using an exact time in each case.

1. Sono alla stazione. Sono le otto e trentanove e il treno parte fra 16 minuti.
   Il treno parte ....
2. Sono le tre. Il treno arriva fra un'ora e mezzo.
   Il treno arriva ....
3. Sono le cinque. Aspetto Maria da un'ora.
   Aspetto Maria ....
4. Mariella guarda l'orologio. È l'una: fra 45 minuti finisce di lavorare.
   Mariella finisce di lavorare ....
5. Sono le undici. Devo vedere il professore fra 30 minuti.
   Devo vedere il professore ....
6. Sono le sei. Carlo ha appuntamento con Anna fra un'ora, all'entrata del cinema.
   Carlo ha appuntamento con Anna ....
7. Sono le undici. Fra due ore devo essere a pranzo da Valeria.
   Devo essere a pranzo da Valeria ....
8. Sono le otto. Ho una lezione all'università fra un'ora e 15.
   Ho una lezione all'università ....

13. Study the photo and complete the sentences.

1. Il tavolino è .... al divano.
2. La pianta è .... alla finestra.
3. La finestra è .... il divano.
4. I cuscini sono .... il divano.
5. Il tappeto è .... il tavolino
6. La pianta è .... il divano e il camino.

14. Put the words in order to make sentences, starting with the word highlighted in blue.

1. Lascio / nel / dietro / la / parcheggio / macchina / il / cinema

   ....
2. dovete / Per / alla / girare / fermata dell'autobus / arrivare / a / destra

   ....

3. Annalisa / di / casa / è / La / a / quella / di / accanto / Marcello

....

4. abbiamo / io / Marisa / ed / dentro / appuntamento / la / stazione

....

5. negozio / è / di / ufficio postale / abbigliamento / davanti / Il / all'

....

6. è breve / La / e / l'ufficio / casa mia / distanza / tra

....

15. Complete the following using c'è or ci sono.

Luciano Ligabue

1. - Vieni anche tu al concerto di Ligabue?
   - Sì, se .... ancora biglietti.
2. - Mangiate bene in quel ristorante?
   - Sì, quando .... poca gente.
3. - Quanti ragazzi stranieri .... nella tua classe?
   - Otto o nove, se non sbaglio.
4. Nell'Italia del Sud .... delle piccole isole molto belle.
5. Questa città è veramente impossibile: .... tanto traffico e non .... parcheggi!
6. Vieni da noi stasera a vedere la TV? .... un film molto bello.
7. Se vuoi partire oggi .... un treno alle quattro.
8. In questo ufficio .... una ragazza molto simpatica, si chiama Veronica.

16. Study the photo and fill in the spaces as follows: use the verbs *ci sono, c'è, c'è, ci sono, c'è, ci sono* for the spaces marked in blue; the prepositions *nel, sul, del, al, degli, al* for the spaces marked in red; the expressions sopra, davanti, dietro, a sinistra, accanto for the spaces marked in green.

(1)................... soggiorno (2)........................ un divano, due poltrone, un tavolino e un camino. (3)........................ (4).................. divano (5)........................ il tavolino, (6)......... .... il divano (7)........................ una grande e luminosa porta-finestra. (8).................. divano (9)................. ..... dei cuscini colorati e (10)........................... il tavolino (11)........................ un libro. Il camino è (12)........................ (13).................. tavolino. Nel salotto (14)........................ anche (15).................. scaffali e un televisore (16)............. .... (17).................. divano.

17. Complete the following using the words and expressions provided.

almeno credo - Magari - Mah, non so - Non sono sicuro - Penso - Probabilmente

- Allora, Francesco, vieni con noi al cinema?
- (1).. cosa fare. Veramente, sono un po' stanco... che film andate a vedere? È bello?
- (2).. di sì, Piero dice che è molto interessante.
- (3).., e poi, devo anche studiare. A che ora inizia il film?
- Alle sette, (4)..; beh, non più tardi delle otto.
- Sì, ma dopo il film... voi andate sicuramente a bere qualcosa.
- (5).. sì, ma se vuoi, tu puoi tornare a casa, puoi prendere la mia macchina.
- No, meglio di no, ho un esame tra una settimana... (6).. un'altra volta.

18. Complete the following using a possessive adjective in each case.

1. Maria lascia sempre la .... macchina sotto casa.
2. - Sai dov'è il mio quaderno? - Sì, il .... quaderno di italiano è qui.
3. Hai una casa grande. La .... casa è veramente bella.
4. - Di chi è questa borsa? - È di Michela, è la .... borsa.
5. Cerco la penna. Dov'è la .... penna?
6. Ho un piccolo gatto. Il .... gatto si chiama Edgar.

19. Complete the following dialogues: thank or respond to thanks as appropriate.

Per strada
- Scusi, sa dov'è Via Settembrini?
- Sì, è la terza strada a destra.
- ....
- ....

A casa con un amico
- Lucia, puoi dare questo libro al tuo ragazzo?
- Certo.
- ....
- ....

A scuola
- Scusa, hai una penna?
- Ecco.
- ....
- ....

20. Answer the questions.

1. In quale stagione andiamo a sciare? • ....
2. In quale stagione andiamo al mare? • ....
3. In quale stagione arrivano le piogge e cadono le foglie? • ....
4. In quale stagione abbiamo il mese di aprile? • ....
5. In quale stagione la temperatura è più alta? • ....
6. In quale stagione è il tuo compleanno? • ....

21. Write the numbers out in full.

1. Da Roma a Milano ci sono (632) .... chilometri, 3 ore e mezza di treno.
2. Il prezzo di questo cellulare è di (500) .... euro.
3. Milano ha (1.300.000) .... abitanti.
4. Il Monte Bianco è alto (4.810) .... metri: è il monte più alto d'Italia.
5. Ogni giorno più di (15.000) .... persone visitano San Pietro.
6. L'Italia è lunga circa (1.200) .... chilometri.

23

22. Listen to the recording and complete the table.

Monumento	Città
1. *La Fontana di Trevi*	
2.	Pisa
3. *La Galleria degli Uffizi*	
4. *Trinità dei Monti*	
5.	Firenze
6. *San Marco*	
7. *Il Maschio Angioino*	
8. *Il Castello Sforzesco*	
9.	Roma
10. *Il Campanile di Giotto*	

10 1 2 9 3 8 4

7

6

5

Test finale

A Supply the correct preposition (combined with the definite article if required).

Gabriella lavora (1)............................ un ufficio, (2)............................ centro (3)............................ Milano. Per essere (4)............................ lavoro (5)............................ 9 deve uscire di casa (6)............................ 7.30. (7)............................ la sua macchina va fino (8)............................ stazione (9)............................ metropolitana più vicina. Lascia lì la macchina e prende la linea 2 del metrò e scende (10)............................ Piazza Duomo. Ma il suo viaggio non finisce qui, deve salire (11)............................ tram 19 e scendere dopo tre fermate. Qualche volta, quando arriva presto, non prende il tram e va (12)............................ piedi.

B Choose the correct option in each case.

1. Signora Viuzzi, (1)............................ cosa parla (2)............................ suo ultimo libro?

(1)	(2)
a) per	a) dal
b) con	b) nel
c) di	c) per il

2. Paola (1)............................ cinque anni va ogni settimana (2)............................ psicologo.

(1)	(2)
a) con	a) con lo
b) per	b) dallo
c) da	c) allo

3. • Scusi, signora, c'è una farmacia qui vicino?
   • Qui a destra (1)............................ alla libreria.
   • (2)............................
   • Di niente.

(1)	(2)
a) accanto	a) Ti ringrazio!
b) dentro	b) Figurati!
c) intorno	c) Grazie mille!

4. Io (1)............................ spesso delle margherite quando arriva (2)............................ .

(1)	(2)
a) raccoglie	a) la primavera
b) raccolgono	b) le estati
c) raccolgo	c) dicembre

5. L'Italia ha (1)............60.000.000............ di abitanti, di questi circa (2)............5.000.000............ sono stranieri.

(1)	(2)
a) settanta milioni	a) cinquecentomila
b) seicento milioni	b) cinque milioni
c) sessanta milioni	c) cinquemila

6. Vicino alla mia casa, (1)............................ un cane che (2)............................ sempre con un piccolo gatto.

(1) a) c'è	(2) a) sta
b) è	b) stanno
c) ci sono	c) sto

7. Nella mia camera, (1)............................ letto c'è l'armadio e, (2)............................, una poltrona.

(1) a) tra il	(2) a) sotto
b) intorno	b) a sinistra
c) a destra del	c) accanto alla

8. • Dov'è il libro di storia che leggo?
   • Probabilmente è (1)............................ libri che sono (2)............................ tua scrivania!

(1) a) davanti agli	(2) a) accanto
b) tra i	b) sulla
c) dentro gli	c) tra

C Complete the crossword.

10 1 9 2 8 3 7 4 6 5

1 2 3 4 5 6 7 8 9 10

Risposte giuste .... /38

Attività Video - episodio *Una telefonata importante*

Per cominciare...

Watch the first 50 seconds of the clip. Who is calling Gianna and why is it an important call, do you think?

Guardiamo

1 Watch the whole clip. Were you right?

2 Study the four pictures below and put them in the correct order.

Facciamo il punto

1 Study the gestures and expressions of the protagonists in the pictures below. Match each sentence to the correct image.

a. *Sai se c'è un'agenzia di corriere espresso qua vicino?*
b. *Ma Gianna, accidenti, sono 540 Mega!*
c. *Sì, credo di sì... Eccola!*
d. *Comunque grazie, Lorenzo, sei davvero gentile a perdere tempo con me...*

2 Write a summary of the episode (50 words maximum). Use the photos on this page to help you.

Al bar

1. Complete the sentences using the past participle of the verbs in brackets.

1. In questi giorni ho (visitare) .... tutti i musei della città.
2. Anna ha (spedire) .... un'e-mail ieri mattina.
3. Ho (comprare) .... il regalo per Cinzia da una settimana.
4. Hai (sapere) .... che l'esame non è domani, ma la settimana prossima?
5. Chi ha (mangiare) .... il dolce?
6. Ho (avere) .... un'idea: perché non andiamo tutti al mare questo fine settimana?
7. Come mai questa mattina non hanno (pulire) .... le strade?
8. Perché hai (lasciare) .... la porta aperta?

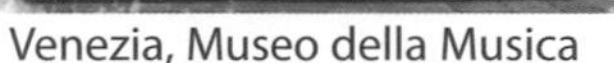
Venezia, Museo della Musica

2. Complete the sentences using the perfect tense of the verbs listed below.

capire • comprare • finire • sentire • portare • viaggiare • vendere • volere

1. - Pietro, ... l'ultimo CD di Tiziano Ferro?
   Sì, molto bello.
2. Io non .... perché non vuoi venire con noi a teatro.
3. Mamma, ... il latte ieri? Dov'è?
4. Fabrizio e Nicola .... molto e conoscono tante città.
5. Per il suo compleanno, Mario non .... regali.
6. .... la macchina e adesso usiamo i mezzi pubblici.
7. Ragazzi, da quanti anni siete in Inghilterra, da quando .... l'università?
8. Alla festa di Emilio, Luisa e io .... una torta molto buona.

TIZIANO FERRO
TROPPO BUONO

3. Complete the sentences: provide the past participle of the verbs in brackets and the correct ending for each from the column on the right.

1. L'estate scorsa Patrizia e Pina sono (partire) ....
2. Piero è (uscire) .... alle
3. L'altro ieri Paola è (andare) .... in
4. Aldo e Giacomo sono (tornare) .... tre giorni fa
5. Siamo (stare) .... tutta la sera
6. Vincenzo è (entrare) ....
7. Laura, perché sei (salire) .... fino al
8. Le ragazze sono (arrivare) .... con

a. sesto piano a piedi, invece di prendere l'ascensore?
b. in classe con 15 minuti di ritardo.
c. sei di mattina.
d. piscina.
e. da Parigi.
f. per la Spagna.
g. a casa a leggere.
h. il treno delle otto.

4. Match the sentences to the words highlighted in green.

io - tu - Franco - tua zia - una lettera - mio fratello e io
tu e Rossana - Giovanna e Gina

1. Il fine settimana scorso siamo andati in montagna. ....
2. Sono restato tutto il giorno a casa. ....
3. È arrivata con la posta di ieri. ....
4. È andato ad aprire la porta. ....
5. Siete usciti con Piero ieri sera? ....
6. Davvero non sei mai stato al mare? ....
7. È ritornata subito a casa per prendere il cellulare. ....
8. Sono partite molto tardi. ....

5. Complete the sentences, as in the example.

partire la settimana scorsa - uscire a fare spese - andare al cinema - arrivare da poco in Italia
studiare poco per l'esame di domani - mangiare solo un panino - dormire molto - trovare traffico

1. Mario, non sei tranquillo perché hai studiato poco per l'esame di domani?
2. I ragazzi tornano a casa più tardi perché ....
3. Siete stanchi perché non ....
4. Ho fame: per pranzo ....
5. Mustafa non conosce bene la lingua italiana perché ....
6. I signori Dardano non rispondono al telefono perché ....
7. Bruna ha la gonna e gli stivali nuovi: ieri ....
8. Siamo in ritardo perché ....

6. Use the perfect tense to complete the sentences.

1. L'autobus passa tutte le mattine alle sette in punto. Ieri mattina, però, ... con quaranta minuti di ritardo.
2. Marta e Giorgio, ogni sabato sera, vanno in discoteca e ballano fino alle 5. Anche sabato scorso, Marta e Giorgio .... in discoteca e .... fino alle 5.
3. Giulia resta a casa tutto il giorno. Anche ieri Giulia .... a casa tutto il giorno.
4. Oggi comincia il corso di lingua tedesca. Tre mesi fa .... il corso di lingua giapponese.
5. Michele finisce il suo lavoro alle tre; io un po' più tardi: sto in ufficio fino alle tre e mezza. Ieri Michele .... il suo lavoro alle quattro e io .... in ufficio fino alle quattro e mezza.
6. Il pomeriggio ritorno a casa con Massimiliano. Ieri pomeriggio, ... a casa in tram.

7. **Choose the correct expression.**

In evidenza

Questo fine settimana io e Veronica abbiamo fatto una breve vacanza. Sabato siamo partiti per Bologna con il treno delle 17 e siamo arrivati *dopo/poi/prima*(1) circa 3 ore di viaggio. *Prima di/Così/Anzitutto*(2) andare a mangiare, abbiamo lasciato le valigie in albergo. *Più tardi/Alla fine/Dopo*(3) cena abbiamo camminato tanto per le strade del centro, abbiamo visto Piazza Maggiore, la Fontana di Nettuno e le Due Torri. *Anzitutto/Prima/Poi*(4) verso l'una siamo andati a dormire.

Il giorno dopo, domenica mattina, *per prima cosa/più tardi/prima di*(5) abbiamo fatto colazione in albergo e *dopo/prima/così*(6) siamo andati a visitare il Museo Ducati. *Dopo il/Poi il/Alla fine del*(7) museo, abbiamo visitato il Duomo di Bologna, la Chiesa di San Petronio e, verso le due, abbiamo mangiato in un ristorante vicino. La sera abbiamo visto uno spettacolo al Teatro Duse. Insomma, siamo stati così bene che *alla fine/dopo/prima*(8) non siamo partiti per Firenze domenica sera, ma lunedì mattina.

8. **Rewrite the following sentences using the perfect tense.**

   1. Marco legge le ultime novità sul forum.

      ....

   2. Prima di uscire, chiudo la finestra e spengo la luce.

      ....

   3. Mario porta il vestito in lavanderia.

      ....

   4. Spendiamo molti soldi in libri.

      ....

   5. Conosco Pino grazie a un vecchio amico.

      ....

   6. I signori Motta vincono un viaggio a Praga!

      ....

7. Serena vede tutti i film di Fellini!

   ....

8. Scrivo una mail ad Antonio.

   ....

9. Complete the article using the perfect tense of the verbs in brackets.

CORRIERE DELLA SERA.it

Aggiornato alle 15:09 | LUNEDÌ 28 gennaio | METEO 11° Venezia

Home | Opinioni | Corriere TV | Salute | Rubriche | Il quotidiano | Casa | Viaggi | Donna e Mamma | Dizionari | Libri | Giochi | Store | Servizi

CRONACHE | POLITICA | ESTERI | ECONOMIA | SPETTACOLI E CULTURA | CINEMA | SCIENZE | SPORT | VIVIMILANO | ITALIAN LIFE | 中文版本 | CORRIERE MOBILE

Turista sale sulla Fontana di Trevi

ROMA – Un turista, un italiano di 40 anni, (1. scegliere)......... .... la Fontana di Trevi per passare il suo tempo libero. L'uomo (2. salire)... sulla Fontana, (3. fare)... delle telefonate con il suo cellulare, (4. mangiare)... un panino e (5. cominciare)....... .... a leggere un libro.

Subito (6. arrivare)... i carabinieri, poi anche i vigili del fuoco che (7. chiedere)... all'uomo di scendere.

Lui (8. rimanere)... sulla Fontana ancora due ore e quando (9. scendere)............. .... (10. dire)...: «Nessun problema, sono professore di storia dell'arte...».

Adattato da *www.corriere.it*

10. Complete the answers to the questions using ci and a verb in the correct tense.

1. - Siete rimasti molto a Venezia? - No, ... solo pochi giorni.
2. - È vero che vai al concerto di Laura Pausini? - Sì, ... con la mia ragazza.
3. - Chi abita nell'appartamento al terzo piano?
   - .... dei ragazzi spagnoli.
4. - Hai guardato nel cassetto? - Certo che ....!
5. - Cosa hai messo nella borsa? - .... solo alcuni libri.
6. - Perché vivete in centro? - .... perché il mio lavoro è in centro.
7. - Passate molte ore in palestra? - No, ... solo 2-3 ore al giorno!
8. - Ultimamente sei stato in Svizzera? - Sì, ... per motivi di lavoro.

11. Use the words provided to complete the sentences.

già • appena • più • ancora • anche • mai • sempre • anche • ancora

1. Per me la matematica è .... stata difficile.
2. Il mese non è .... finito e noi abbiamo .... speso tutti i soldi!
3. Sono passate più di due ore e Vittoria non ha .... telefonato.
4. All'ultimo momento è arrivata .... Rosa.
5. Non ho .... visto un film così bello!
6. È andato via e da quel momento non ha .... dato sue notizie.
7. Come vedi, ho .... finito di parlare al direttore del tuo problema.
8. Ieri abbiamo fatto un giro in centro e siamo .... passati da casa tua.

12. Complete the dialogue using the expressions provided. Use the verbs to fill in the spaces marked in red and the nouns to fill in those marked in blue.

panino - prendi - caffè - vorrei - fame - lattina
c'è - gelato - prendo - spremuta d'arancia

Cameriera: Buongiorno, i signori cosa prendono?
Luisa: Mario, tu cosa (1)...?
Mario: Non so, non ho ancora deciso...
(2)... il listino? Dov'è?
Barbara: Ecco, è qui!
Mario: Grazie! Allora... io
(3)... mangiare
qualcosa: un (4)...
con mozzarella e pomodoro e da bere
un'aranciata.
Luisa: E tu Piero?
Piero: Io prendo solo una
(5)..., ho una sete...
Luisa: Benissimo. E tu Barbara, hai (6)...?
Barbara: No, grazie! (7)... soltanto un (8)...
Mario: Ehm, scusi. Per me l'aranciata non in (9)..., ma in bottiglia.
Luisa: E per me... un (10)... al cioccolato.
Cameriera: D'accordo, grazie!

13. Rewrite the sentences using the perfect tense.

1. Monica e Ida vogliono andare a piedi in birreria.

   ....

2. Vuole prendere il treno delle sette.

   ....

3. Per il tuo amico non posso fare niente!

   ....

4. Vogliamo vedere tutto il film.

   ....

5. Per comprare la casa deve fare due lavori.

   ....

6. Luisa deve rimanere a casa con sua madre.

   ....

7. Giancarlo non può tornare per l'ora di cena perché ha tanto lavoro in ufficio.

   ....

8. Elisabetta deve passare da Mario prima di andare al lavoro.

   ....

14. Complete the sentences using the perfect tense of the verbs in brackets.

1. Non (volere, loro) .... rimanere un minuto in più!
2. Ieri non (potere, io) .... andare a scuola.
3. Per trovare la casa di Marco, (dovere, noi) .... chiedere informazioni.
4. Francesca, perché ieri non (volere) .... pranzare con noi?
5. Stefano (dovere) .... partire da solo.
6. Io non (potere) .... preparare la lezione in tempo!
7. (Dovere, noi) .... ritornare prima di mezzanotte.
8. Perché non (volere, tu) .... venire con me a teatro?

Ferrara, Teatro San Michele

15. a. **Two couples (Alberto and Valeria, Giulio and Alessia) are in a café. Listen to their conversations once or twice and then use a ✓ to indicate what each of them has ordered.**

	Alberto	Valeria	Giulio	Alessia
caffè espresso				
cappuccino				
caffelatte				
cioccolata in tazza				
cornetto				
pezzo di torta				
gelato				
succo di frutta				
spremuta d'arancia				
coca cola				
birra in bottiglia				
birra alla spina piccola				
birra alla spina media				
panino con prosciutto cotto e mozzarella				
panino con prosciutto crudo e mozzarella				
tramezzino con prosciutto cotto e mozzarella				

b. **Listen to the recording again and decide whether the following statements are true (*vere*) or false (*false*).**

	V	F
1. Valeria non mangia spesso cioccolato.		
2. Alberto ha molta fame.		
3. Giulio ha già bevuto un caffè.		
4. Alessia preferisce il caffè amaro.		

16. Use the information provided to write a short text in each case.

1. Mio fratello / vivere molto tempo estero / abitare dieci anni Stati Uniti / otto anni Cina.

   ....

   ....

2. Ieri / bar sotto casa / incontrare Nicola / prendere caffè insieme / andare in giro negozi / Nicola comprare dei libri e dei CD / io non comprare niente.

   ....

   ....

3. Questa mattina / noi non potere andare lavoro autobus / sciopero mezzi trasporto / ma non restare a casa / telefonare Piero / andare lavorare sua macchina.

   ....

   ....

17. Supply the missing prepositions.

(1)................... più di 10 anni abito (2)................... Bologna. Lavoro in un ufficio (3)................... centro, cinque giorni (4)................... settimana, dalle 9 (5)................... 18, e ci vado (6)................... piedi. Abito (7)................... un appartamento al terzo piano (8)................... un vecchio palazzo vicino (9)................... ufficio. Il fine settimana ospito sempre degli amici e la sera andiamo al cinema, (10)................... teatro o a bere qualcosa.

18. Use the perfect tense to fill in the spaces marked in blue, the present tense for the spaces marked in green and the words provided for the spaces in red.

con - alla fine - fra - vicino

Da lì parte una strada che (1. portare).......................... a un piccolo ristorante, si chiama *Ungheria*, e dentro (2. esserci).......................... una bella donna (3).......................... il suo uomo: non (4. sapere, loro).......................... bene l'italiano e (5).......................... loro parlano ungherese. Una sera, un uomo di circa sessant'anni (6. entrare).......................... nel ristorante, (7. andare).......................... a un tavolo (8).......................... alla finestra e (9. ordinare).......................... da mangiare.
(10).......................... della cena, l'uomo (11. prendere).......................... un caffè corretto e senza salutare (12. uscire)..........................

Adattato da *Il filo dell'orizzonte* di Antonio Tabucchi

19. Use the words provided to complete the following text.

gente • cappuccino • colazione • tramezzino • centro

Il *Caffè Gustavo* è un piccolo bar nel (1)............................... della città. La mattina, molti ci vanno a fare (2)............................... Con il caffè o il (3)............................... potete mangiare i dolci della mamma di Gustavo. A mezzogiorno è possibile mangiare un (4)............................... o un panino. La sera, quando c'è musica jazz, al *Caffè Gustavo* c'è sempre tanta (5)..............................., soprattutto ragazzi.

Test finale

A Supply the missing auxiliary verbs (essere or avere).

Ieri, dopo tanti mesi, Massimo (1)......................... voluto fare un giro per le strade del centro. Per andarci (2)......................... preso l'autobus 19A ed (3)......................... sceso in Piazza Garibaldi. È qui che Massimo (4)......................... incontrato Carla. Insieme (5)......................... entrati al bar *Da Orlando*. Massimo (6)......................... preso un caffè, Carla (7)......................... bevuto una spremuta d'arancia e (8)......................... mangiato un tramezzino. Verso mezzogiorno, Carla (9)......................... dovuta andare via e così Massimo (10)......................... potuto continuare il suo giro.

B Choose the correct option in each case.

1. Luca (1)................................... da Parigi dove (2)................................... un appartamento.

   (1) a) ha tornato
   b) è tornata
   c) è tornato

   (2) a) è comprato
   b) ha comprato
   c) ha comprata

2. L'ultimo autobus (1)................................... 10 minuti fa, per questo (2)................................... il taxi.

   (1) a) ha passato
   b) passa
   c) è passato

   (2) a) siamo presi
   b) abbiamo preso
   c) è preso

3. Giovanni (1)................................... in ospedale appena (2)................................... la notizia della nascita di Carlo.

   (1) a) è corso
   b) hanno corso
   c) avete corso

   (2) a) ha ricevuto
   b) abbiamo ricevuto
   c) avete ricevuto

4. Ragazzi, perché (1)...................................... salire sul treno non (2)...................................... il biglietto?
   (1) a) prima di
   b) prima
   c) dopo
   (2) a) convalidano
   b) siete convalidati
   c) avete convalidato

5. Il fratello di Lorenzo è nato (1)...................................... del 1985, mentre la sorella, che è più piccola, è nata (2)......................................
   (1) a) nel 23 marzo
   b) 23 marzo
   c) il 23 marzo
   (2) a) a giugno 1990
   b) il giugno del 1990
   c) nel giugno del 1990

6. (1)...................................... c'è stata una festa all'università. Maria, tu (2)......................................?
   (1) a) La settimana scorsa
   b) Settimana fa
   c) Settimana passata
   (2) a) sei andataci
   b) ci sei andata
   c) andarci

7. • Francesco, hai (1)...................................... ordinato?
   • No! Io vorrei bere un (2)...................................... E tu, Paola?
   • A quest'ora preferisco un caffè macchiato.
   (1) a) sempre
   b) ancora
   c) già
   (2) a) cappuccino
   b) gelato
   c) tramezzino

8. I ragazzi non (1)...................................... fare gli esercizi perché (2)...................................... andare dal medico.
   (1) a) sono dovuto
   b) hanno potuto
   c) hanno saputo
   (2) a) sono dovuti
   b) hanno voluto
   c) siete potuti

C Complete the crossword.

Orizzontali

1. Un panino al bar: ... crudo e mozzarella.
3. Acqua in bottiglia.
4. Luogo dove andiamo a ballare.
7. Se abbiamo sete, prendiamo una...: può essere in bottiglia o in lattina.
8. Luogo dove mangiano gli studenti universitari.

Verticali

1. Insieme alla mozzarella, è necessario per la preparazione della pizza.
2. Un espresso con un po' di latte.
5. Città dove ogni anno abbiamo un famoso festival della canzone italiana.
6. Può essere bionda, chiara, scura; in bottiglia o alla spina.
7. Alcuni sono anche tabaccherie.

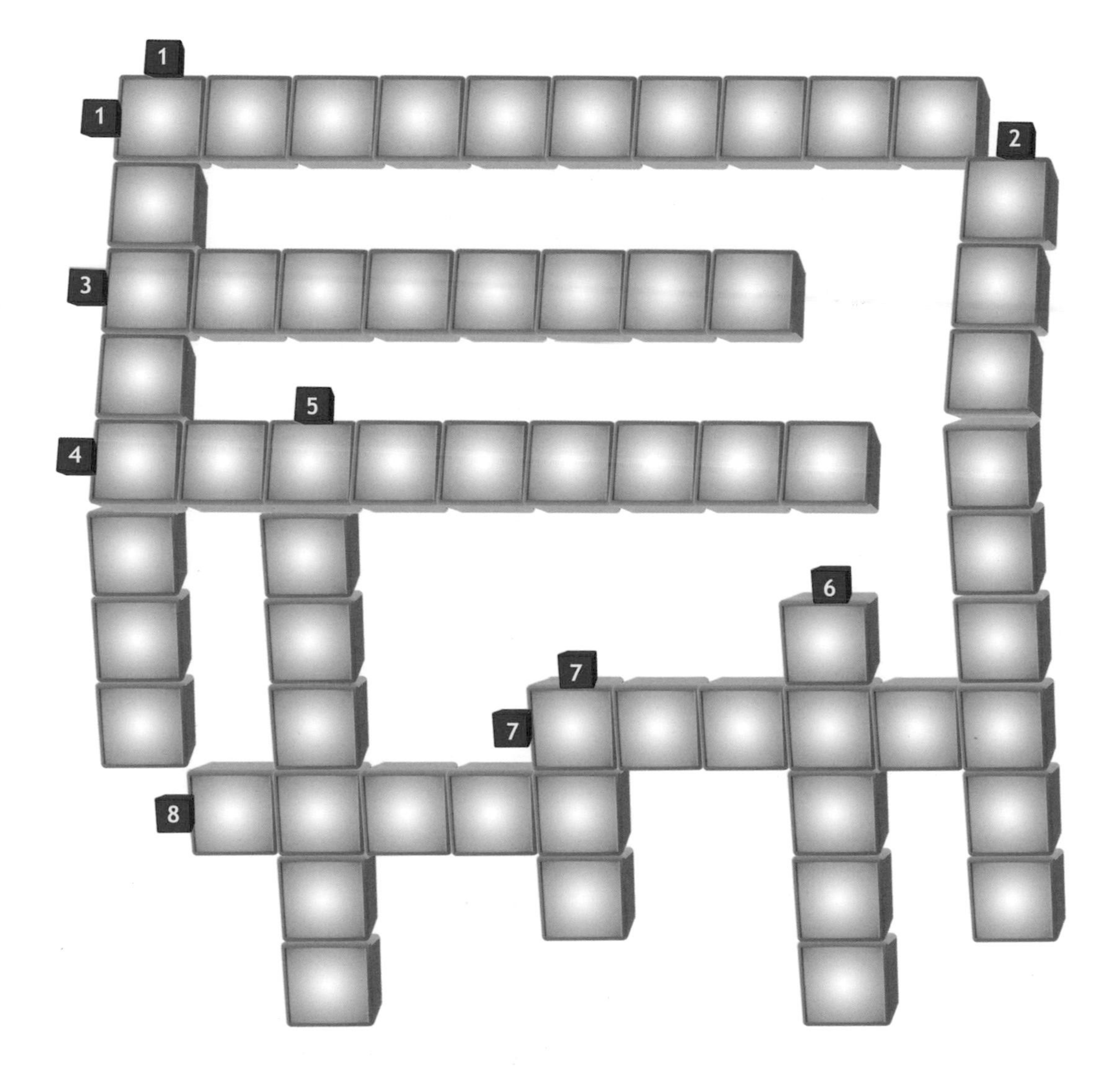

Risposte giuste .... /36

Attività Video - episodio *Una pausa al bar*

Per cominciare...

Watch the first 30 seconds of the video clip with sound. Then, continue watching (from 31 seconds to 1 minute) without sound. What do you think is happening? With a partner, talk about and describe what you have seen and try to guess how it ends.

Guardiamo

1 Now watch the whole episode. Were you right?

2 Match the sentences shown below to the correct picture.

a. *Ma hai già ordinato una spremuta!*
b. *Io vorrei una spremuta d'arancia.*
c. *Ho capito. Allora, ripeto: per la signora...*
d. *No, io ho ordinato solo il tiramisù! Che confusione!*

Facciamo il punto

1 Answer the questions.

1. Perché Gianna non ha fame?
2. Perché poi cambia idea e ordina qualcosa?
3. Come vuole il caffè Lorenzo?
4. Perché il cameriere ha sbagliato le ordinazioni?

2 With a partner, study the café menu (the same menu we looked at on page 67 of the student's book): how much does Gianna and Lorenzo's order (the correct order!) come to?

caffè GIOLITTI

CAFFETTERIA	
Caffè espresso	1,40
Caffè corretto	1,60
Caffè espresso decaffeinato	1,60
Cappuccino	1,60
Caffelatte - Latte	1,30
Tè - Camomilla	1,60
Cioccolata in tazza - con panna	1,70
Caffè - tè freddo	1,70

GELATI - DOLCI	
Coppa Giolitti	6,50
Torta al caffè	5,40
Tiramisù	5,20
Zabaione	5,20
Stracciatella	5,20
Cioccolato	5,20
Pannacotta	5,20

BIBITE	
Bibite in lattina	1,60
Bibite in bottiglia	1,50
Spremuta d'arancia	2,80
Birra alla spina piccola	1,70
Birra alla spina media	2,60
Birra in bottiglia	3,00
Acqua minerale - bicchiere	0,50
Acqua minerale - bottiglia	1,70

APERITIVI	
Bitter - Campari	3,60
Martini: rosso - dry - bianco	3,60

PANINI - TRAMEZZINI	
Prosciutto crudo e mozzarella	1,80
Mozzarella e pomodoro	1,80

1. Today is Sunday 20th November. Study the diary and use the expressions provided to complete the sentences.

Fra una settimana • Venerdì • Dopodomani • Sabato prossimo • Il 30 dicembre
Domani • A Capodanno • Il mese prossimo

1. .... inizierò il corso di inglese.
2. .... darò l'esame di Storia dell'arte.
3. .... uscirò: vado a cena con i miei compagni.
4. .... resterò a casa a studiare.
5. .... andrò al cinema con Gino e Maria.
6. .... passerò qualche giorno da mia sorella Pina.
7. .... preparerò la valigia.
8. .... partirò per la montagna.

NOVEMBRE
21 LUNEDÌ inizio corso inglese
22 MARTEDÌ esame storia dell'arte
23 MERCOLEDÌ
24 GIOVEDÌ
25 VENERDÌ cena con i compagni
26 SABATO STUDIARE!
27 DOMENICA cinema con Gino e Maria
28 LUNEDÌ
29 MARTEDÌ
30 MERCOLEDÌ

DICEMBRE
1 GIOVEDÌ
2 VENERDÌ
3 SABATO
4 DOMENICA
5 LUNEDÌ
6 MARTEDÌ
7 MERCOLEDÌ
8 GIOVEDÌ
9 VENERDÌ
10 SABATO
11 DOMENICA
12 LUNEDÌ
13 MARTEDÌ
14 MERCOLEDÌ
15 GIOVEDÌ
16 VENERDÌ
17 SABATO
18 DOMENICA
19 LUNEDÌ
20 MARTEDÌ
21 MERCOLEDÌ
22 GIOVEDÌ
23 VENERDÌ
24 SABATO
25 DOMENICA
26 LUNEDÌ
27 MARTEDÌ DA PINA!
28 MERCOLEDÌ PINA
29 GIOVEDÌ PINA
30 VENERDÌ preparare valigia
31 SABATO

GENNAIO
1 DOMENICA montagna
2 LUNEDÌ
3 MARTEDÌ
4 MERCOLEDÌ
5 GIOVEDÌ
6 VENERDÌ
7 SABATO
8 DOMENICA

2. Complete the sentences using the future tense of the verbs in brackets.

1. Con questo traffico, se non esci subito, (perdere) .... il treno.
2. Marco (cambiare) .... appartamento, il suo è troppo piccolo.
3. Quest'estate (passare, noi) .... le vacanze al mare.
4. Hanno detto che (tornare) .... per l'ora di cena.
5. Sabato prossimo Giulio e io (giocare) .... a tennis.
6. Noi (scendere) .... alla prossima fermata, così facciamo anche una passeggiata.
7. Per andare a Roma, (prendere, tu) .... il treno o l'aereo?
8. (Leggere, io) .... il tuo libro questo fine settimana.

3. Rewrite the sentences using the future tense.

1. La settimana scorsa ho scritto una lunga mail a mio fratello.
   La settimana prossima ....
2. Silvio ha smesso di dire bugie.
   Quando crescerà, ...
3. L'estate scorsa Luisa e Ada sono partite per un bellissimo viaggio.
   La prossima estate ....
4. Stamattina siamo usciti di casa alle 8 per andare a correre al parco.
   Domani mattina ....
5. Ieri sera lo spettacolo è finito alle undici.
   Stasera lo spettacolo ....
6. Ennio ha capito il significato delle tue parole.
   Sono sicuro che ....
7. Avete sentito il nuovo programma alla radio, ieri sera?
   Stasera ....?
8. Alessandro è andato a teatro: non ama molto il cinema.
   Domani, Alessandro ....: non ama molto il cinema.

4. Complete the sentences using the future tense of the verbs provided.

andare - cominciare - dare - essere - fare - restare - fare - avere

1. Le ferie sono quasi finite: (noi) .... ancora due o tre giorni qui al mare.
2. Quando (tu) .... il regalo a Marta? Il suo compleanno è già passato.
3. Se non puoi adesso, (noi) .... questo viaggio un'altra volta.
4. Se non hanno studiato abbastanza .... l'esame il mese prossimo.
5. Sono già le otto: i ragazzi .... fame!
6. Il libro che cerchi .... nel cassetto del tavolo.

7. L'anno prossimo, Giovanna .... a vivere in Inghilterra per migliorare il suo inglese.
8. Da settembre (io) .... un corso di lingua giapponese.

5. Complete the dialogue using the future tense.

Tonino: Che brutta situazione, adesso cosa succede?

Gianni: Niente, (1. vedere)............................ ... Luigi dice spesso che (2. lasciare)............................ Martina, che (3. partire)............................ e non (4. tornare)............................ più. Ma sono sicuro che alla fine (5. trovare, loro)............................ come sempre una soluzione, lui (6. chiedere)............................ scusa e (7. dire)............................ che non può vivere senza di lei.

Tonino: E se, invece, (8. fare)............................ come dice?

Gianni: Se va via veramente, all'inizio non (9. essere)............................ facile, ma poi Martina, che è una ragazza giovane e simpatica, (10. trovare)............................ certamente un altro compagno.

6. What function is the future tense performing in each of the sentences below?

a. progetti | b. previsioni | c. ipotesi | d. promesse | e. periodo ipotetico

1. L'anno prossimo comincerò l'università e tra cinque anni sarò avvocato. ☐
2. - Sai quanto dura il viaggio da Firenze a Bologna?
   - Mah, durerà poco più di un'ora. ☐
3. Il prossimo fine settimana resterò a casa: devo finire un lavoro. ☐
4. Se supererò il prossimo esame, mi prenderò una vacanza. ☐
5. Probabilmente Aldo e Claudio prenderanno l'autobus, so che non amano camminare. ☐
6. Va bene, telefonerò e prenderò un appuntamento con il medico. Stai tranquilla! ☐
7. Secondo me, Piero non verrà alla mia festa: ha sempre detto che non ama la musica rock. ☐
8. - Quanto manca all'inizio della partita?
   - Mancherà un'ora. ☐

7. Choose the appropriate expression to complete each response. Use the verb in the future tense.

avere fretta | bere un caffè | dormire già da un po' | studiare l'ultimo giorno
rimanere a casa | venire in ufficio | volere andare a pescare | avere più di vent'anni

1. - Sai dov'è Angela? Ho aspettato un quarto d'ora, ma lei non è venuta all'appuntamento.
   - Non so, forse .... a piedi.
2. - Ha telefonato qualcuno per me?
   - Sì, Giacomo, ha detto che chiamerà verso le 18. Ha parlato di una gita, non ho capito bene...
   - Probabilmente, ...
3. - Ho invitato Cesare al cinema, ma ancora una volta mi ha detto di no! Tu sai che cosa fa questa sera?
   - .... come sempre: preferisce non uscire la domenica sera.

4. - Perché corrono tutti qui in città?
   - Chissà... ....
5. - Dino ha un esame dopodomani e non ha ancora aperto il libro!
   - ...., come al solito.
6. - Hai visto Ines, la ragazza di Fabio, hai visto com'è giovane?
   - Sì, non ....
7. - Come mai Rosa non è venuta alla festa?
   - A quest'ora, secondo me, ...
8. - Tu bevi un caffè lungo, io un caffè amaro e Giulio? Cosa prende?
   - .... anche lui!

8. Rewrite the sentences using the future tense, as in the example.

Se continua a piovere, non esco.
Se continuerà a piovere, non uscirò.

1. Se vuoi venire con me, sono contento.

   ....
2. Se finisco prima, vado a trovare Carmen.

   ....
3. Se prendiamo l'autobus, arriviamo prima.

   ....
4. Se mangiate tutta la pasta, dopo c'è il tiramisù.

   ....
5. Se riesce a mettere da parte i soldi, viene anche lei in vacanza con noi.

   ....
6. Se cambio casa, compro dei mobili nuovi.

   ....
7. Se arrivo prima di voi, aspetto al bar vicino al cinema.

   ....
8. Se vanno alla posta adesso, fanno in tempo a spedire il pacco.

   ....

9. What will our lives be like in 50 years' time? Write sentences, as in the example.

Città / essere / pulite / senza smog
Le città saranno pulite e senza smog.

1. Non esserci / grandi città / piccoli centri abitati

   ....

2. (Noi) abitare / solo / case piccole / comode / tecnologiche

   ....

3. (Noi) usare in città / tram / biciclette / treno / viaggi più lunghi

   ....

4. Tutti / lavorare meno / avere più tempo libero

   ....

5. Anche giocattoli / potere essere intelligenti

   ....

6. Tutti / volere andare / sulla luna

   ....

7. Persone / vivere / più a lungo

   ....

8. Non esistere più / auto a benzina

   ....

10. Rewrite the parts highlighted in blue, as in the example.

Quando andrò in vacanza, fare delle lunghe passeggiate.
Quando andrò in vacanza, farò delle lunghe passeggiate.

1. Quando smetterà di piovere, i ragazzi uscire di casa.
   Quando smetterà di piovere, ...
2. Virgilio il fine settimana preferire restare a casa e non venire al mare con noi.
   .... e non venire al mare con noi.
3. Quando finirò l'università, dare una grande festa.
   Quando finirò l'università, ...
4. Riccardo cercherà un altro lavoro e iniziare a lavorare presto.
   Riccardo cercherà un altro lavoro ....
5. Se andrò in Italia, potere finalmente incontrare Andrea.
   Se andrò in Italia, ...
6. Appena i miei compagni sapranno che l'esame è tra una settimana, studiare giorno e notte.
   Appena i miei compagni sapranno che l'esame è tra una settimana, ...
7. Se vincerò, offrire da bere a tutti.
   Se vincerò, ...
8. Appena finiremo la lezione, i miei compagni e io andare a mangiare una pizza.
   Appena finiremo la lezione, i miei compagni e io ....

11. It is seven o'clock in the morning. Piero opens his eyes and gets out of bed. Match each of the sentences below to a picture and then describe what Piero will do today.

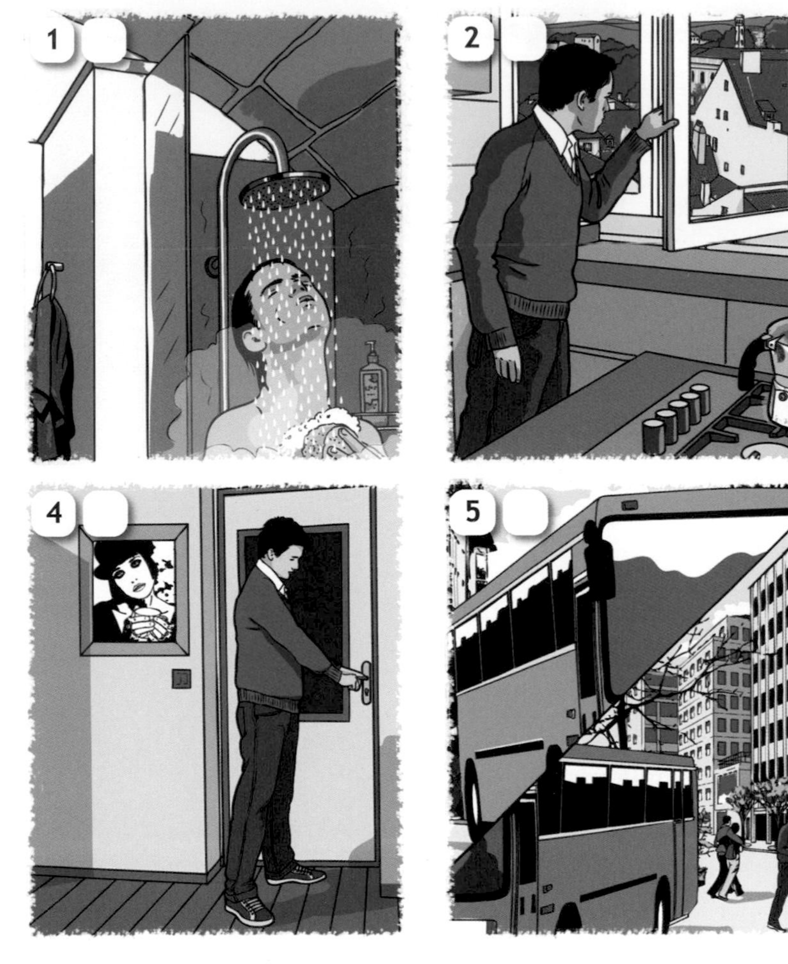

a) Alle 18 andare in palestra per fare un po' di ginnastica.
b) Prendere l'autobus e arrivare in ufficio verso le 9.
c) Andare a mangiare qualcosa con un suo collega.
d) La sera cenare a casa di Cinzia.
e) Aprire la finestra e preparare il caffè.
f) Accendere la radio e fare colazione.
g) Fare la doccia.
h) Uscire di casa alle 8.15.

1. ....
2. ....
3. ....
4. ....
5. ....
6. ....
7. ....
8. ....

12. Complete using the words provided.

a che ora parte - andata - biglietteria - binario - vicino - fra - quant'è - supplemento

- Scusi, sa dov'è la (1)..................................?
- Sì, deve andare avanti e girare lì a destra; è (2)................................ al bar.
- Buongiorno, un biglietto per Napoli.
- Andata e ritorno?
- No, solo (3)..................................
- Parte con il prossimo treno?
- Va bene, (4)..................................?
- È un Intercity, con il (5)................................ sono 47 euro.
- Sì. E scusi, (6)..................................?
- Parte (7)................................ venti minuti dal (8)................................ 2.
- Grazie, arrivederLa.

13. Make sentences by matching a line from the left to one from the right.

1. Non appena avrò preso la laurea,
2. Solo dopo che avrete letto il libro,
3. Potremo uscire a fare una passeggiata,
4. Quando il professore avrà spiegato l'uso del futuro composto,
5. Se tra mezz'ora Aldo non sarà arrivato
6. Appena avranno preso lo stipendio
7. Ti telefonerò
8. Solo quando avrete aperto il pacco

a. non avrai più nessun dubbio.
b. andremo al ristorante senza di lui.
c. appena sarò arrivato a casa.
d. partiranno anche loro per l'Italia.
e. capirete perché ha venduto tanto.
f. cercherò subito un lavoro.
g. scoprirete qual è la sorpresa.
h. solo dopo che avremo finito questo lavoro.

14. Rewrite the sentences using dopo che, quando, appena, as in the example.

Tornerà Teresa e daremo una festa.
Quando (Appena - Dopo che) sarà tornata Teresa, daremo una festa.

1. Arriveremo in albergo e faremo una doccia.

   ....

2. Vedrò il film e andrò a letto.

   ....

3. Finirete di studiare e potrete uscire.

   ....

La Gazzetta Sportiva
Tutto il rosa della vita

FORMULA 1
Hamilton retrocesso Alonso secondo

GIRO D'ITALIA
Tiralongo rompe il digiuno, ma che Scarponi!

TENNIS
Internazionali Tutti contro Re Djokovic

JUVE DAY DA RECORD

Lazio-Inter volatona con Napoli e Udinese

Allegri: «Berlusconi mi ha promesso un grande Milan»

Un super Zeman show Ora il Pescara è primo
Scavalcati i granata. Il Varese stende l'Ascoli 4-0 e si avvicina ai playoff

ESTATHE SPONSOR UFFICIALE DELLA MAGLIA ROSA.

4. Vedrò lo spettacolo e tornerò a casa.

   ....

5. La partita finirà e Marco uscirà di casa.

   ....

6. Arriverò a casa e mi preparerò la cena.

   ....

7. Finiremo gli esami e faremo una festa.

   ....

8. Leggerò il giornale e saprò chi ha vinto la partita ieri.

   ....

15. Complete the sentences using the future or future perfect tenses.

1. Se (venire, tu) .... a Siena per le vacanze (potere, noi) .... visitare anche i paesi vicini!
2. Mi dispiace, non (potere, io) .... continuare il corso, perché dal prossimo mese (andare) .... a vivere in un altro paese.
3. Appena i ragazzi (dare) .... l'esame di matematica, (andare, noi) .... in vacanza.
4. (Telefonare, io) ...., quando il film (finire) ....
5. Appena (andare, noi) .... a vivere nella nuova casa, (invitare) .... i compagni di università.
6. Non mi piace viaggiare in aereo, per questo (prendere) .... il treno anche se (arrivare) .... in ritardo.
7. Non è ancora arrivato Giovanni? Forse (perdere) .... l'autobus.
8. Non appena (tornare, io) .... dal prossimo viaggio di lavoro, (fare) .... un altro viaggio con gli amici.

16. Listen to the recording and choose the correct option in each case.

31

1. Questo dialogo avviene

   ☐ a. il 25 dicembre ☐ b. il 10 dicembre ☐ c. il 10 gennaio

2. L'uomo vuole andare

   ☐ a. a Rio de Janeiro ☐ b. al mare ☐ c. in montagna

3. Un viaggio organizzato per Rio de Janeiro costa
   - a. 3.000 euro in tutto
   - b. 1.500 euro in tutto
   - c. 3.000 euro a testa
4. La donna vuole andare a Rio de Janeiro
   - a. per fare qualcosa di diverso
   - b. per vedere parenti lontani
   - c. perché non sa sciare
5. All'uomo non piace l'idea di passare le feste a Rio perché
   - a. il viaggio costerà un sacco di soldi
   - b. non vuole prendere l'aereo
   - c. preferisce andare a sciare

17. Complete the dialogue using prepositions and indefinite articles as appropriate.

- Ieri sono andata (1)........................ Camilla e abbiamo deciso (2)........................ andare a fare (3)...... .... giro in centro. Più tardi, (4)........................ otto siamo andate (5)........................ mangiare, abbiamo scelto (6)........................ ristorante messicano.
- Avete passato (7)........................ bella serata, no?
- No, siamo uscite (8)........................ fretta dal ristorante (9)........................ andare a vedere (10)....... .... film, ma abbiamo trovato traffico. Così, siamo arrivate tardi (11)........................ cinema e non siamo potute entrare.

Test finale

A Use the verbs provided, in the future or future perfect tenses, to complete the text.

essere • andare • arrivare • chiudere • rimanere • prendere • riuscire • visitare • andare • tornare

Tra un mese (1)................................. Pasqua. Le scuole (2)................................. per alcuni giorni e se i miei (3)................................. ad avere qualche giorno in più di vacanza, (4)................................. a fare un viaggio all'estero, in Italia. Ho già organizzato tutto.
Non appena noi (5)................................. all'aeroporto di Fiumicino a Roma, (6)................................. il treno per Napoli. (7)................................. la città, Pompei e Capri. Dopo (8)................................. a Firenze, Siena e Pisa e poi (9)................................. a Roma, dove (10)................................. un paio di giorni prima di far ritorno a casa.

B Choose the correct option in each case.

1. Alla radio hanno detto che domani il tempo non (1)............................. bello, (2)............................. su tutta l'Italia.

(1)	(2)
a) sarò	a) pioverà
b) sarà	b) pioverò
c) sarai	c) pioverai

2. Se il treno (1)............................ in ritardo a Bologna, (2)............................ l'Intercity per Milano.

   (1) a) arriverai — b) sarà arrivato — c) arriverà
   (2) a) perderemo — b) avremo perso — c) abbiamo perso

3. Quando sono a Roma, se (1)............................ un po' di tempo (2)............................ a salutare Alessandra.

   (1) a) avrò — b) avrai — c) avrà
   (2) a) passerete — b) passerai — c) passerò

4. (1)............................ una sorpresa se (2)............................ questa promessa.

   (1) a) Sarò — b) Sarai — c) Sarà
   (2) a) manterrerai — b) manterrai — c) manterai

5. • Paolo, a che ora (1)............................ ieri sera dalla discoteca?
   • (2)............................ le due, non di più.

   (1) a) torni — b) tornerai — c) sei tornato
   (2) a) Saranno stati — b) Saranno state — c) Saranno

6. Non appena (1)............................ la verità, prometto che (2)............................ il primo a sapere tutto.

   (1) a) ho scoperto — b) sarò scoperto — c) avrò scoperto
   (2) a) sarai stato — b) sarai — c) sarete

7. Per questa sera ci sarà un brutto (1)............................ e domani (2)............................ freddo.

   (1) a) sereno — b) nuvoloso — c) temporale
   (2) a) avrà fatto — b) farà — c) ha fatto

8. Anna e Marco hanno vinto una (1)............................ nel Mar Mediterraneo, ma non possono andarci perché la settimana del viaggio (2)............................ lavorare.

   (1) a) crociera — b) nave — c) destinazione
   (2) a) vorranno — b) sapranno — c) dovranno

C Complete the crossword.

ORIZZONTALI

1. L'Intercity per Milano è in partenza dal ... 12.
5. Per il ... di Capodanno, mia madre ha preparato un sacco di cose da mangiare.
8. Oggi non fa molto freddo, ma tira ...
9. Luogo di arrivo.
10. Giorno di festa in pieno agosto.

VERTICALI

2. Un biglietto per Como andata e ...
3. A causa di un forte ... siamo rimasti senza luce per due ore.
4. Il ... è il dolce di Natale di tutti gli italiani.
6. Oggi non piove, ma il cielo è ...
7. Alle 10 c'è un diretto, ma se prendiamo l'... che parte alle 11, arriveremo prima.

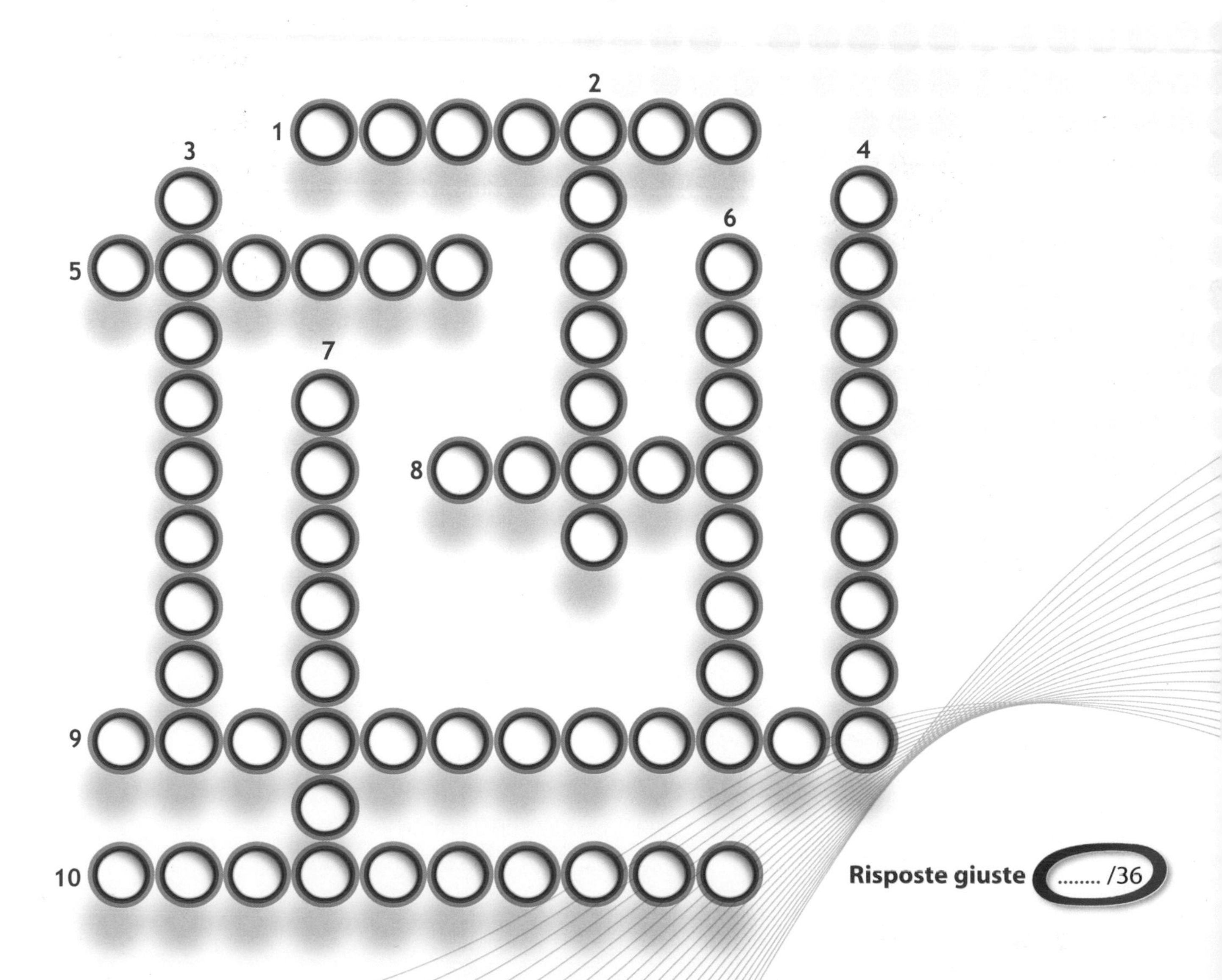

Risposte giuste .... /36

Attività Video - episodio *Organizziamo un viaggio!*

Per cominciare...

We already know that Gianna works in a travel agency. What do you think will happen in this episode? Will Lorenzo be travelling alone, or will they both be going? What is the occasion, do you think?

Guardiamo

Gianna is making two very "Italian" gestures with her hands. Study the pictures and decide what each gesture means. Be aware: there is one explanation more than you need!

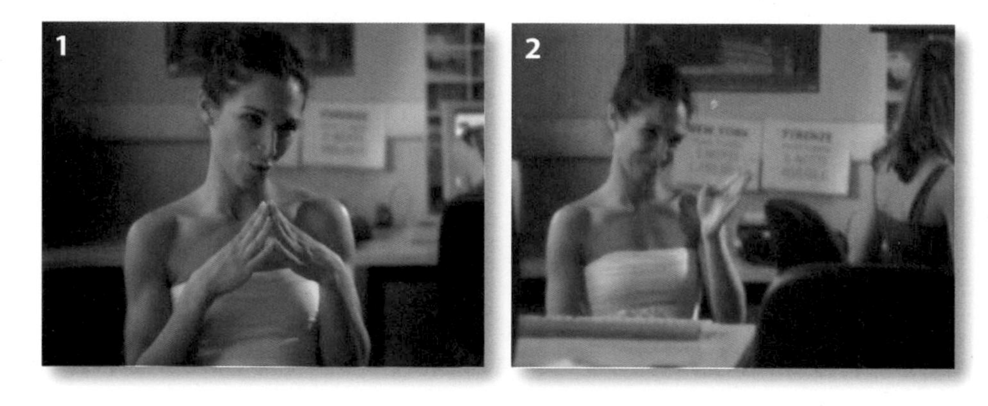

☐ *Vai via, che è meglio!* ☐ *Ma cosa vuoi qui?* ☐ *È una cosa incredibile!*

Facciamo il punto

1 Answer the questions.

1. Lorenzo viaggerà
   a. ☐ con 3 amici
   b. ☐ con 4 amici
   c. ☐ con la famiglia
   d. ☐ con Gianna

2. Il viaggio di andata sarà
   a. ☐ con un treno Regionale
   b. ☐ in macchina
   c. ☐ con un treno veloce
   d. ☐ in autobus

3. Il viaggio durerà
   a. ☐ 4 giorni
   b. ☐ 6 giorni
   c. ☐ 10 giorni
   d. ☐ una settimana

2 Write a summary of the episode (50 - 60 words).

2º test di ricapitolazione (unità 3, 4 e 5)

A Complete the sentences using prepositions.

1. Quando parlo .... telefono, non riesco mai .... dire quello che voglio!
2. Sono andato .... posta .... spedire una lettera .... miei genitori.
3. Prenderò qualche giorno .... vacanza .... stare vicino .... miei figli!
4. Cerca bene: il tuo vestito bianco è .... armadio, vicino .... quello verde.
5. Se tutto va bene, domani arriverà il mio fidanzato .... Germania.
6. La farmacia si trova .... Via Cesare Pavese, proprio davanti .... bar.
7. Vado .... centro .... comprare una gonna .... Armani.
8. Il tuo bicchiere è .... tavolo .... cucina.

.... /18

B Complete the sentences using preposition.

1. Se tutto andrà bene, prenderò la laurea .... fine .... questo mese.
2. Per favore, puoi portare la macchina .... meccanico?
3. Quando andrai .... tuo paese?
4. Gli appunti .... Mario sono .... mia borsa.
5. I ragazzi sono rimasti ancora .... qualche giorno .... nonni.
6. Secondo le previsioni, pioverà .... tutta la settimana .... Italia del Nord.
7. Se non facciamo .... tempo questa sera, andremo .... teatro domani.
8. Cercate .... portare vestiti pesanti perché .... montagna fa freddo!

.... /14

C Complete the dialogue using prepositions.

- Buongiorno tesoro. Vai .... centro?
- Sì.
- Allora vengo .... te perché voglio comprare .... regali .... Natale.
- Ma non puoi vedere .... qualche negozio qua vicino?
- Ho guardato, ma non c'è niente .... interessante.

.... /6

D Complete the dialogue using possessive adjectives.

- Ciao Piero, come stai?
- Bene. E tu? La .... famiglia?
- Tutti bene, grazie. Ah, ieri ho incontrato Monica con il .... nuovo ragazzo, Fabio.
- Davvero? E com'è?
- Simpatico. Ho invitato anche lui alla .... festa di compleanno. Tu, vieni, vero?

- Certo! Posso portare anche Sonia e una .... amica?
- Non c'è nessun problema. Ricordi la strada per arrivare a casa ....?
- Sì, sì ...Allora ci vediamo sabato alla .... festa.

.... /6

E Complete the sentences using the perfect tense of the verbs in brackets.

1. Come (passare) .... il fine settimana? (Andare) .... al paese o (rimanere) .... in città?
2. Ragazzi, se voi (finire) ...., potete andare via!
3. L'altro giorno io e Andrea (uscire) .... e (incontrare) .... Antonella.
4. (Passare) .... tanti anni, ma tu Antonio non (cambiare) ....
5. Cara Valeria, (fare) .... veramente bene a venire.
6. Non veniamo con voi perché (vedere) .... già questo film.
7. Giulio (cambiare) .... casa, ora vive in centro.
8. La Juventus (vincere) .... il campionato.

.... /12

F Complete the sentences using the future or future perfect tenses of the verbs in brackets.

1. Quando (finire, io) .... di pagare la macchina, (potere) .... comprare la moto.
2. Se non (venire, loro) .... per le 18, significa che non (potere) .... uscire prima dall'ufficio.
3. Se Alessandro e la sua ragazza non (mangiare) ...., (tu dovere) .... preparare qualcosa.
4. Per prima cosa (cercare, noi) .... di perdere qualche chilo e poi (cominciare) .... ad andare in palestra.
5. È vero che Giacomo (aprire) .... una farmacia appena (prendere) .... la laurea?
6. Sono certo che Luisa (fare) .... il possibile per aiutare Anna.
7. Se (ascoltare, tu) .... l'ultima canzone di Bocelli, (capire) .... perché ha venduto milioni di cd in tutto il mondo.
8. Ragazzi, oggi è sabato e (potere, noi) .... tornare a casa anche dopo le due.

.... /14

Risposte giuste 

Game instructions

Materials needed: the 30-square board, a dice and a token for each player (for example, a coin).

1. 1 to 4 students, or two pairs can play with each board.
2. The player that gets the higher number by rolling the dice starts first.
3. The player that arrives first to square 30 wins.
4. Each player rolls the dice and moves his token a number of squares on the board as specified by the dice. He reads the instruction or the question indicated in the square he landed on and does the activity.
5. If the player does the exercise correctly he can stay on the square (or go to the indicated one). If he fails to answer, he moves back to the previous square. In both cases the turn passes to the other player.
6. To win, it's necessary to reach square 30 with an exact dice roll. If the player with his dice roll goes past the last square, he has to go back one square for each point in excess (for example if he is on square 28 and his dice roll is 6, he goes 2 squares forth up to square 30 and then 4 squares back to square 26).

Gioco unità 0-5

Edizioni Edilingua

Immagina il dialogo tra i due.

Due tuoi progetti per il futuro.

			1	2	3	4
5	6	7	8	9	10	11
12	13	14	15	16	17	18
19	20	21	22	23	24	25
26	27	28				

Quali sono i giorni della settimana?

Parla di te alla classe (chi sei, come sei, cosa fai ecc.).

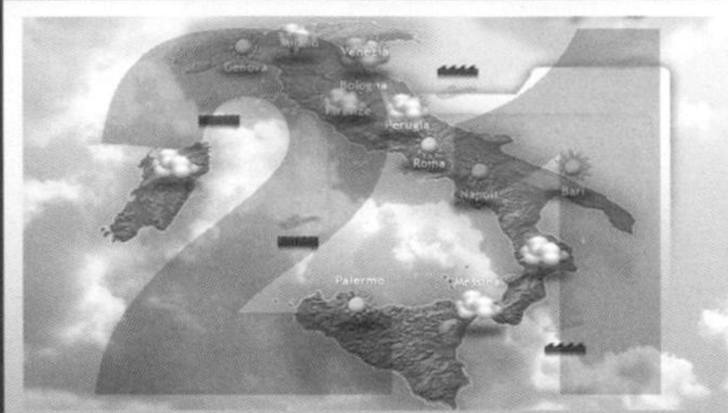

Vai a pagina 82 del Libro dello studente: come sarà il tempo domenica a Roma?

Vai a pagina 50 del Libro dello studente, immagine A: dov'è la lampada?

Fai lo spelling del tuo nome.

Il presente indicativo del verbo *fare*.

Qual è il contrario di *corto*?

Dove vai stasera?

Chiedi un biglietto per Firenze.

Guarda l'immagine a pagina 21 del Libro dello studente: cosa succede? Ricordi chi sono i due ragazzi?

Leggi e risolvi: 30 + 25 = ...

Immagina un breve dialogo fra queste persone.

Che ore sono in questo momento?

Interactive version is also available on *Nuovo Progetto italiano 1* IWB software.

Instructions on page 153

8 Cosa fa questo ragazzo?

9 Tre parole che finiscono per *-a*.

10 A pagina 19 del Libro dello studente hai conosciuto Jennifer: descrivila.

23 Sei al bar: cosa prendi? Ordina al cameriere.

24 Che orario ha l'ufficio postale?

11 Quando sei nato/a?

30 ARRIVO

Hai un minuto: parla degli italiani e i mezzi pubblici: li usano? Quanto? E quali?

25 Un tuo amico ti dice: "Grazie tante!" Cosa rispondi?

12 Torna indietro alla casella 9 e rispondi.

27 Passato prossimo di *rimanere* (terza persona - lei).

26 Cosa hai fatto domenica scorsa?

13 Cosa hanno fatto ieri Nina e Franco?

16 Descrivi fisicamente un tuo compagno di corso.

15 Due stanze della casa.

14 Coniuga il verbo *volere* al presente indicativo.

Unità introduttiva
page 7

Nouns ending in *-e*

1. Many nouns ending in **-ione** and **-udine** are feminine (azione - azioni, abitudine - abitudini ecc.)
2. Many nouns ending in **-ore** are masculine (attore - attori, sapore - sapori ecc.)

Nouns ending in *-a*

singular	**il**	problema, tema, programma, clima, telegramma, panorama
	il, la	turista, barista, tassista, pessimista, regista
plural	**i**	problemi, temi, programmi, climi, telegrammi, panorami
	i, le	turisti/e, baristi/e, tassisti/e, pessimisti/e, registi/e

Feminine nouns ending in *-i*

singular	**la, l'**	crisi, analisi, tesi, sintesi, perifrasi, enfasi, ipotesi
plural	**le**	crisi, analisi, tesi, sintesi, perifrasi, enfasi, ipotesi

Indeclinable nouns

il caffè amaro	➪	i caffè amari	il cinema moderno	➪	i cinema moderni
il bar, il re	➪	i bar, i re	lo sport, il film	➪	gli sport, i film
l'auto, la moto, la foto	➪	le auto, le moto, le foto	la serie, la specie	➪	le serie, le specie
la città, l'università, la virtù	➪	le città, le università, le virtù			

Masculine nouns ending in *-co* and *-go*

singular	il fuo*co*, l'alber*go*	if the accent falls on the second-to-last syllable
plural	i fuo*chi*, gli alber*ghi*	(exceptions: amico-amici, greco-greci)
singular	il medi*co*, lo psicolo*go*	if the accent falls on the third-to-last syllable
plural	i medi*ci*, gli psicolo*gi*	(exceptions: incarico-incarichi, obbligo-obblighi)

Some nouns in the plural have two forms (-chi/-ci, -ghi/-gi): chirur*go* - chirur*gi*/chirur*ghi*, stoma*co* - stoma*ci*/stoma*chi*.

Notes on nouns ending in *-logo*

singular	il dia*logo*, l'archeo*logo*	plural forms ending in *-loghi* indicates *plural things*
plural	i dia*loghi*, gli archeo*logi*	plural forms ending in *-logi* indicates *people*

The definite article *lo* (masculine singular)

The article *lo* (plural *gli*) is used for masculine nouns starting with: **s** + **consonant** (lo spagnolo), **z** (lo zaino), **y** (lo yogurt), **ps** (lo psicologo), **gn** (lo gnomo), **pn*** (lo pneumatico).

*Modern Italian uses the article *il*: il pneumatico.

Unità 2

page 32

Irregular verbs in the *presente indicativo*

bere	***cominciare****	***dire***	***mangiare****	***morire***
bevo	comincio	dico	mangio	muoio
bevi	cominci	dici	mangi	muori
beve	comincia	dice	mangia	muore
beviamo	cominciamo	diciamo	mangiamo	moriamo
bevete	cominciate	dite	mangiate	morite
bevono	cominciano	dicono	mangiano	muoiono

pagare*	***piacere***	***porre***	***rimanere***	***salire***
pago	piaccio	pongo	rimango	salgo
paghi	piaci	poni	rimani	sali
paga	piace	pone	rimane	sale
paghiamo	pia(c)ciamo	poniamo	rimaniamo	saliamo
pagate	piacete	ponete	rimanete	salite
pagano	piacciono	pongono	rimangono	salgono

scegliere	***sedere***	***spegnere***	***tenere***	***tradurre***
scelgo	siedo (o seggo)	spengo	tengo	traduco
scegli	siedi	spegni	tieni	traduci
sceglie	siede	spegne	tiene	traduce
scegliamo	sediamo	spegniamo	teniamo	traduciamo
scegliete	sedete	spegnete	tenete	traducete
scelgono	siedono (o seggono)	spengono	tengono	traducono

trarre
traggo
trai
trae
traiamo
traete
traggono

Look:
like *porre*: proporre, esporre...
like *scegliere*: togliere, cogliere, raccogliere...
like *tenere*: mantenere, ritenere...
like *tradurre*: produrre, ridurre...
like *trarre*: distrarre, attrarre...

* The verbs *cominciare*, *mangiare* and *pagare* are regular, even though they are peculiar.

page 37

The ordinal numbers 11th - 25th

11° undicesimo	16° sedicesimo	21° ventunesimo
12° dodicesimo	17° diciassettesimo	22° ventiduesimo
13° tredicesimo	18° diciottesimo	23° ventitreesimo
14° quattordicesimo	19° diciannovesimo	24° ventiquattresimo
15° quindicesimo	20° ventesimo	25° venticinquesimo

Unità 4
page 63

Irregular *participi passati*

Infinito	*Participio Passato*	*Infinito*	*Participio Passato*
accendere	*(ha) acceso*	morire	*(è) morto*
ammettere	*(ha) ammesso*	muovere	*(è/ha) mosso*
appendere	*(ha) appeso*	nascere	*(è) nato*
aprire	*(ha) aperto*	nascondere	*(ha) nascosto*
bere	*(ha) bevuto*	offendere	*(ha) offeso*
chiedere	*(ha) chiesto*	offrire	*(ha) offerto*
chiudere	*(ha) chiuso*	perdere	*(ha) perso/perduto*
concedere	*(ha) concesso*	permettere	*(ha) permesso*
concludere	*(ha) concluso*	piacere	*(è) piaciuto*
conoscere	*(ha) conosciuto*	piangere	*(ha) pianto*
correggere	*(ha) corretto*	prendere	*(ha) preso*
correre	*(è/ha) corso*	promettere	*(ha) promesso*
crescere	*(è/ha) cresciuto*	proporre	*(ha) proposto*
decidere	*(ha) deciso*	ridere	*(ha) riso*
deludere	*(ha) deluso*	rimanere	*(è) rimasto*
difendere	*(ha) difeso*	risolvere	*(ha) risolto*
dipendere	*(è) dipeso*	rispondere	*(ha) risposto*
dire	*(ha) detto*	rompere	*(ha) rotto*
dirigere	*(ha) diretto*	scegliere	*(ha) scelto*
discutere	*(ha) discusso*	scendere	*(è/ha) sceso*
distinguere	*(ha) distinto*	scrivere	*(ha) scritto*
distruggere	*(ha) distrutto*	soffrire	*(ha) sofferto*
dividere	*(ha) diviso*	spendere	*(ha) speso*
escludere	*(ha) escluso*	spegnere	*(ha) spento*
esistere	*(è) esistito*	spingere	*(ha) spinto*
esplodere	*(è/ha) esploso*	succedere	*(è) successo*
esprimere	*(ha) espresso*	tradurre	*(ha) tradotto*
essere/stare	*(è) stato*	trarre	*(ha) tratto*
fare	*(ha) fatto*	uccidere	*(ha) ucciso*
giungere	*(è) giunto*	vedere	*(ha) visto/veduto*
insistere	*(ha) insistito*	venire	*(è) venuto*
leggere	*(ha) letto*	vincere	*(ha) vinto*
mettere	*(ha) messo*	vivere	*(è/ha) vissuto*

Unità 5
page 76

Irregular verbs in the *futuro*

Infinito		*Futuro*	*Infinito*		*Futuro*
essere	➪	sarò	rimanere	➪	rimarrò
avere	➪	avrò	bere	➪	berrò
stare	➪	starò	porre	➪	porrò
dare	➪	darò	venire	➪	verrò
fare	➪	farò	tradurre	➪	tradurrò
andare	➪	andrò	tenere	➪	terrò
cadere	➪	cadrò	trarre	➪	trarrò
dovere	➪	dovrò	spiegare	➪	spiegherò
potere	➪	potrò	pagare	➪	pagherò
sapere	➪	saprò	cercare	➪	cercherò
vedere	➪	vedrò	dimenticare	➪	dimenticherò
vivere	➪	vivrò	mangiare	➪	mangerò
volere	➪	vorrò	cominciare	➪	comincerò

Soluzioni delle attività di autovalutazione

Unità 1
1. 1-a, 2-c, 3-e, 4-b, 5-d
2. 1-b, 2-e, 3-d, 4-c, 5-a
3. 1. basso; 2. Sicilia, Lombardia (*consult the map on page 27*); 3. capisci; 4. avete
4. naso, trenta, testa, bionde, ora/orario, sedici

Unità 2
1. 1-b, 2-e, 3-d, 4-c, 5-a
2. 1-c, 2-e, 3-a, 4-b, 5-d
3. 1. di, a, da, in, per; 2. venerdì; 3. settimo; 4. voglio; 5. facciamo
4. *orizzontale*: sesto, occhio, affitto, duemila, comodo; *verticale*: vengo

Unità 3
1. 1-d, 2-b, 3-c, 4-e, 5-a
2. 1-d, 2-c, 3-e, 4-b, 5-a
3. 1. autobus, metrò, tram; 2. gennaio; 3. sopra; 4. tengo; 5. vogliamo
4. 1. festa, 2. intorno, 3. mezzogiorno, 4. mittente, 5. soggiorno

Unità 4
1. 1-e, 2-a, 3-b, 4-c, 5-d
2. 1-d, 2-e, 3-a, 4-c, 5-b
3. 1. lungo, ristretto, macchiato, freddo, corretto; 2. cappuccino; 3. bevuto; 4. sono rimasto/a; 5. essere
4. *orizzontale*: successo, piazza, giugno, panino; *verticale*: sopra, listino, agenda, tavolino

Unità 5
1. 1-b, 2-d, 3-c, 4-a, 5-e
2. 1-c, 2-a, 3-e, 4-b, 5-d
3. 1. Eurostar, Intercity, Interregionale, Diretto, Regionale ecc.; 2. Natale, Pasqua, Epifania, Carnevale ecc.; 3. ho preso; 4. verrò; 5. sarò partito/a
4. 1. ombrello, 2. aeroporto, 3. libri, 4. panettone, 5. Palio di Siena

Grammar notes

Unità introduttiva

IL GENERE DEI SOSTANTIVI - GENDER DISTINCTION

Gender means "type" of noun, masculine or feminine. In Italian, all nouns are either masculine or feminine, whether or not they represent a masculine or feminine person, animal or thing.
The gender of a noun can be distinguished by either its endings or its meaning.

Masculine gender:
a. Words ending in -o apart from a few exceptions: *il bambino* (exceptions: *la mano, la moto, l'auto, la foto*).
b. Words referring to male beings: *il padre.*
c. Words ending in -ma adopted from words of Greek origin: *il problema.*
d. Words ending in -a, -ista and stating a profession: *il poeta, il tassista.*
e. Words (usually of foreign origin) ending in a consonant: *lo sport, il bar.*
f. Words ending in -i: *il brindisi* (> *i brindisi*).
g. Words ending in -ale, -iere, -ore are usually considered to be of masculine gender: *l'ospedale, il portiere, l'attore.*

Feminine gender:
a. Words ending in -a: *l'amica.*
b. Words referring to female beings: *la madre.*
c. Words ending in -à and -ù: *la città, la virtù.*
d. Words adopted from words of Greek origin, ending in -i with invariable plural: *la crisi* (> *le crisi*).
e. Words ending in -ice, -ione, -udine are usually considered to be of feminine gender: *l'attrice, l'azione, la solitudine.*
f. Words ending in -ie with invariable plural: *la serie* (> *le serie*).

PLURALE DEI SOSTANTIVI E DEGLI AGGETTIVI - PLURAL OF NOUNS AND ADJECTIVES

Italian does not form the plural of nouns by adding *-s*. The plural system is a little more complex. Here are the main patterns.
All the words in the plural have the suffix -i, except:
a. Feminine words ending in -a that change to -e: *la mamma - le mamme.*
b. Feminine words ending in -à and -ù which are invariable in plural: *la città - le città, la virtù - le virtù.*
c. Foreign words ending in a consonant: *lo sport - gli sport.*
d. Monosyllabic words: *il re - i re.*
e. Masculine words stressed on the final syllable: *il caffè - i caffè.*
f. Feminine words ending in -ie which are invariable in plural: *la serie - le serie* (exception: *la moglie - le mogli*).

Other rules:
a. Masculine nouns ending in -io: when the *i* is stressed, the plural is -ii (*lo zio - gli zii*); when the i is not stressed, the plural is -i (*l'orologio - gli orologi*).
b. Feminine nouns in -cia, -gia: when the *i* is stressed or there is a vowel before the letters c and g, the plural is -cie, -gie (*farmacia - farmacie, valigia - valigie*); when there is a consonant before the letters c and g, the plural is -ce, -ge (*goccia - gocce, spiaggia - spiagge*).
c. Masculine nouns ending in -co, -go: when the accent falls on the second-to-last syllable, the plural is -chi, -ghi (exceptions: *l'amico - gli amici*); when the accent falls on the second-to-last syllable, the plural is -ci, -gi (exceptions: *incarico - incarichi*).
d. Feminine nouns in -ca, -ga: their plural is always -che, -ghe (*l'amica - le amiche, la collega - le colleghe*).

L'ARTICOLO DETERMINATIVO - THE DEFINITE ARTICLE

In Italian there are two genders: masculine (*maschile*) and feminine (*femminile*). The definite article ("the") is usually used to specify a particular noun. In Italian it has several forms, used according to gender, number, and initial letter(s) of the noun that they precede.

Words of masculine gender:
1. Masculine words beginning with a consonant take the article **il** (plural **i**): *il libro - i libri.*
2. Masculine words beginning with a vowel take the article **l'** (plural **gli**): *l'amico - gli amici.*
3. Finally, the article **lo** (plural **gli**) is used before singular words beginning with:

z	*lo zio - gli zii*
s and another consonant: s + (b, c, ...)	*lo sbaglio, lo scopo - gli sbagli, gli scopi*
ps	*lo psicologo - gli psicologi*
pn	*lo pneumatico - gli pneumatici*
y	*lo yogurt - gli yogurt*
gn	*lo gnomone - gli gnomoni*

Words of feminine gender:
1. Feminine words beginning with a consonant take the article **la** (plural **le**): *la borsa - le borse.*
2. Feminine words beginning with a vowel take the article **l'** (plural **le**): *l'amica - le amiche.*

Unità 1

I VERBI IN ITALIANO - ITALIAN VERBS

In Italian, verbs are divided in three groups according to their endings: verbs ending in **-are**, verbs in **-ere**, and verbs in **-ire**. Verbs can be conjugated in different moods, which are divided in different tenses. By mood, we intend a manner or way that expresses the attitude of the speaker toward what he or she is saying. The inflexion of the indicative mood expresses a definite fact. It is what we use to make a statement.

IL PRESENTE INDICATIVO - THE SIMPLE PRESENT TENSE

The simple present tense in Italian can express:
a. An action taking place at that particular moment: *Mangio una mela = I am eating an apple.*
b. An action that happens regularly or repeatedly: *Studio italiano = I study Italian.*
c. An action in the near future: *Stasera vado al cinema = I am going to the movies tonight.*

The present tense of regular verbs is formed by:
1. "Dropping" the ending **-are**, **-ere**, or **-ire** from the infinitive.
2. Adding to the "stem" or root of the verb (the infinitive of the verb with the **-are**, **-ere**, or **-ire** taken off) the appropriate ending (suffix) to create each form, thus expressing who is doing the action.
Example: parl<u>are</u> > parl-
Io parl<u>o</u> italiano = I speak Italian.
Tu parl<u>i</u> portoghese = You speak Portuguese.
Lui parl<u>a</u> spagnolo = He speaks Spanish.

a. The endings for verbs in **-are** (1st conjugation) are: **-o**, **-i**, **-a**, **-iamo**, **-ate**, **-ano**.
b. The endings for verbs in **-ere** (2nd conjugation) are: **-o**, **-i**, **-e**, **-iamo**, **-ete**, **-ono**.
c. The endings for verbs in **-ire** (3rd conjugation) are: **-o**, **-i**, **-e**, **-iamo**, **-ite**, **-ono**.
d. Many verbs in **-ire** (3rd conjugation) also add **-isc-** between the stem and the ending in the *io*, *tu*, *lui/lei* and *loro* forms.
Example: fin<u>ire</u> > fin-
Io finisco i compiti = I finish my homework.
Tu finisci presto? = Are you finishing early?
Since each form of the verb is different from the others (because of the different endings or suffixes), it is <u>not necessary</u>, unlike English, to use personal pronouns. These latter can be used for emphasis or clarity.
Example: *Parlo italiano = I speak Italian* (No "**io**" necessary at the beginning of the sentence).

L'ARTICOLO INDETERMINATIVO - THE INDEFINITE ARTICLE

The indefinite article is used in front of an "unspecified" noun. It translates the English "a" or "an" and has four different forms in Italian.

1. Words of masculine gender that take the definite article **il** and **l'**, take the indefinite **un**: *il libro - un libro, l'amico - un amico*.
2. Words of masculine gender that take the definite article **lo**, take the indefinite **uno**: *lo zio - uno zio*.
3. Words of feminine gender that take the definite article **la**, take the indefinite **una**: *la borsa - una borsa*.
4. Finally, the words of feminine gender that take the indefinite article **l'**, take the indefinite **un'**: *l'amica - un'amica*.

L'AGGETTIVO - THE ADJECTIVE

An adjective describes a noun or pronoun. An adjective in Italian may have three different suffixes. So, we have adjectives ending in -**o** for those of masculine gender, adjectives ending in -**a** for those of feminine gender and finally adjectives ending in -**e** which refer to both masculine and feminine gender.
In the Italian language, we have to pay attention to agreement and position of an adjective.
An adjective always agrees in gender and number with the noun. In syntax, it usually follows the noun:
il cane nero - i cani neri = the black dog - the black dogs.
la penna rossa - le penne rosse = the red pen - the red pens.
il ragazzo francese - i ragazzi francesi = the French boy - the French boys.
la ragazza francese - le ragazze francesi = the French girl - the French girls.

Unità 2

VERBI IRREGOLARI AL PRESENTE - IRREGULAR VERBS IN THE SIMPLE PRESENT TENSE

1. The verbs **andare** (*to go*), **dare** (*to give*), **sapere** (*to know*), **stare** (*to be, to stay*) are irregular. They do not follow the regular patterns of the first, second and third conjugation. Please note that the third plural person ("loro") is spelt with a double **n**.
Examples:
Loro vanno a Londra = They go to London.
Loro danno un regalo alla mamma = They give a present to their mom.
Loro sanno tutto! = They know everything!
Stanno spesso a casa = They are often at home.

2. The verbs **bere** (*to drink*), **dire** (*to say, to tell*), **fare** (*to do, to make*) are also irregular in the present tense. Some forms derive from the stem of their Latin infinitives (*bevere, dicere, facere*).
Examples:
Io bevo la Coca Cola = I drink Coke.
Lui dice sempre la verità = He always tells the truth.
Facciamo errori grammaticali = We make grammar mistakes.

3. In some irregular verbs, a -**g**- is added after the stem of the verb and before the suffix in the first person singular and in the third person plural. These are: **rimanere** (*to remain, to stay*), **spegnere** (*to turn off*), **venire** (*to come*), **tenere** (*to have, to keep*), **salire** (*to go up, upstairs, to climb*), etc.
Examples:
Io rimango a casa = I stay at home.
Loro rimangono a scuola = They stay at school.
Io vengo con te! = I am coming with you!
Vengono da te Sabrina and Stefano? = Are Sabrina and Stefano coming to your place?
Salgo al terzo piano = I am going up to the third floor.
Spengono le luci alle nove = They turn the lights off at nine.

The verbs *venire* and *tenere* add an -i- in the second and third person singular: *Vieni alla partita? = Are you coming to the game?*

4. When the modal verbs **potere** (*can, to be able to*), **volere** (*to want*), **dovere** (*to have to*) are followed by a verb, this latter is always in the infinitive form. Between the modals and the infinitive there is no preposition:

Examples*:*
Posso venire = I can come. / Voglio vedere = I want to see. / Devo partire = I have to leave.

PREPOSIZIONI - PREPOSITIONS

Prepositions show how words in a sentence relate to each other. They usually indicate position, direction or time. Simple prepositions are invariable. They have no plural, nor do they have a gender.
In Italian there are the following prepositions: da, di, a, in, su, con, tra/fra, per. It would be a mistake to translate each preposition as a single word, because every time the translation is different, according to the use of each word. Therefore, as in English, the meaning of a preposition is often determined by its context. Unlike English, however, the position of a preposition never varies. It is always placed within a sentence before its object. Also, Italian may use different prepositions to translate the ones we use in English, or sometimes no prepositions are used at all. Always consult a dictionary to verify whether a preposition is required.
Example: *to look for = cercare* (no preposition "for" after the verb).
We are going to give the most common uses of each preposition and some examples to go with them.

DA - states:

- Origin or descent. In this case, it accompanies verbs such as *arrivare, venire*:
  Veniamo da Monaco = We come from Monaco.
  Arrivo da Perugia = I am arriving from Perugia.
- Motion from or to a place:
  Lui è partito da Roma = He left Rome.
  Vado dal medico = I am going to the doctor.
- Use, in everything that is used as an object:
  occhiali da sole = sunglasses, camera da letto = bedroom.
- Time (i.e. since sth. has happened):
  Vi aspetto da un'ora = I have been waiting for you for an hour.*
  Studio l'italiano da tre mesi = I have been studying Italian for three months.*
  *Notice the use of the simple present tense in Italian vs. the present perfect continuous in English.

DI - states:

- Ownership (i.e. to whom an object belongs):
  la macchina di Piero = Piero's car.
- Origin: *Anna è di Firenze = Anna is from Florence.*
- Content: *un bicchiere di latte = a glass of milk.*
- Material: *un tavolo di legno = a wooden table (made of wood).*
- Time: *di giorno, di notte, d'estate = during the day, at night, in the summer.*

A - states:

- Indirect object (i.e. to someone or something):
  Regalo il libro a Maria = I am giving (as a gift) the book to Maria
  Telefono a... = I am calling..., Parlo a... = I am talking to..., etc.
- Motion or state in a place (not with countries):
  Vado a Milano = I am going to Milan, Sono a casa = I am at home.
- Time (i.e. we define with accuracy the time when an action is happening or happened):
  A mezzogiorno vengo da te = I am coming to see you at noon.

IN - states:

- In, inside (i.e. the inside part of a place; with this use the preposition also takes an article): *Le chiavi sono nel cassetto = The keys are in the drawer.*
- Motion or state in a place (i.e. it shows us the place that someone is moving or, that is, found): *Vado in Italia = I am going to Italy, Vivo in Australia = I live in Australia.*

- A means of transport when ownership or time is not defined:
  Parto in aereo = I am leaving by plane, Vado in treno = I am going by train.

SU - states:

- Position (on): *Il libro è sul tavolo = The book is on the table.*
- Age approximately, in this case the preposition is articulated:
  Una bambina sui 6 anni = A little girl about six years old.

CON - states:

- Together with someone: *Vado a teatro con Stefano = I am going to the theatre with Stefano.*
- Way of doing (i.e. how we are doing sth.): *Ascolto con attenzione = I am listening carefully.*

FRA (TRA) - states:

- Between: *Brindisi si trova fra Bari e Lecce = Brindisi is (located) between Bari and Lecce.*
- Time (i.e. how long it will take us to do sth.): *Esco fra poco = I am going out shortly.*

PER - states:

- Direction, destination: *Il treno parte per Torino = The train is leaving for Turin.*
- Purpose: *Vado in Italia per motivi di lavoro = I am going to Italy for business.*
- Time duration: *Devo restare a Firenze per tre settimane = I have to stay in Florence for three weeks.*

Unità 3

PREPOSIZIONI ARTICOLATE - ARTICULATED PREPOSITIONS

"Simple" prepositions a, in, di, da, su form just one word when combined with the definite articles:
Vado alla stazione ferroviaria = I am going to the train station.
This is not true with per, con, tra (fra), which are always written separately from the article:
Compro la torta per la festa = I buy the cake for the party.

Usually, a "simple" preposition becomes articulated when:
- The noun is defined precisely: *Fanno un tour dell'Italia meridionale = They are taking a tour of Southern Italy.*
- A possessive pronoun that takes a definite article follows: *la macchina del mio amico = my friend's car.*
- Time follows: *l'aereo delle nove = the nine o'clock plane.*

L'ARTICOLO INDETERMINATIVO AL PLURALE - THE PLURAL OF INDEFINITE ARTICLES

In English, the indefinite article is used only with singular nouns: *a boy, a girl*. In the plural forms, it is expressed with the word "some" or it is omitted altogether: *We saw some great bargains at the mall* or *We saw great bargains at the mall*. In Italian, the plural is formed with the "contraction" of the preposition "di" and the definite articles (depending on the gender of the noun that follows): *delle (di+le) scarpe = some shoes, dei (di+i) libri = some books.*

Here is how the preposition di combines with the various definite articles:
- For masculine words which have the definite article i, the indefinite article is dei (di + i).
- For masculine words with the definite article gli, the indefinite article is degli (di + gli).
- For feminine words with the definite article le, the indefinite is delle (di + le).

GLI AGGETTIVI E I PRONOMI POSSESSIVI - POSSESSIVE ADJECTIVES AND PRONOUNS

- Possessive adjectives and pronouns (mio/a, tuo/a, suo/a) express ownership of an object or relationship between people:
  Questa è la mia borsa = This is my purse
  Michele è il tuo nuovo compagno di classe = Michele is your new classmate.

- Possessive adjectives agree in gender and number with the object possessed:
  il libro di Maria = Maria's book > il suo libro = **her** *book,*
  *la macchina di Paolo = Paolo's car > la sua macchin***a** *=* **his** *car.*
- Possessive adjectives precede the noun and are usually preceded by the definite article:
  il mio libro = my book, il suo quaderno = his/her notebook.
- Possessive pronouns are always used without the noun because they replace it:
  La casa di Marco è grande, **la mia** *è piccola = Marco's house is big, mine is small.*
- Possessive pronouns, as a rule, are not preceded by the article when they follow the verb *essere*:
  -Questo telefonino è tuo? -No, non è mio, è suo = -Is this cell phone yours? -No, it's not mine, it's his/hers.

Unità 4

IL PASSATO PROSSIMO - THE PRESENT PERFECT TENSE

The present perfect, called *Passato Prossimo* in Italian, is formed like the English present perfect tense. It usually corresponds to the simple past tense in English when it expresses an action that took place in the past and finished in the past as well:
Ieri Luca è andato al cinema = Luca went to the movie theater yesterday.
Luca è andato a vivere in Italia dieci anni fa = Luca went to live in Italy ten years ago.

Sometimes, however, it is better translated with the present perfect or the past emphatic when there is no clear indication that the action has ended, or when you want to emphasize that you did something. As a rule, always look at the general context of a sentence or paragraph.
Hence, *Ho studiato* can be translated as: *I studied - I have studied - I did study.*

The *Passato Prossimo* is a compound tense formed with the present tense of the auxiliary verbs *avere* or *essere*, and the past participle of the verb.
It is simple to form the past participle of regular verbs: just substitute the suffixes -**are**, -**ere**, -**ire** to -**ato**, -**uto**, -**ito** correspondingly.
The past participle of the verbs that follow *essere* always agrees in gender and number with the subject:
Maria è andata = Maria went, Noi siamo usciti = We went out.

Analytically, *essere* is followed by:
- Verbs that express motion:
  Sono arrivato a Roma ieri = I arrived in Rome yesterday.
- Verbs that state a stop at a place, such as *stare, restare, essere, rimanere*:
  Sono stato in Italia diverse volte = I have been/I was in Italy several times.
- Intransitive verbs (an intransitive verb does not take an object) such as: *piacere, dispiacere, costare, bastare, durare, parere, sembrare, diventare, servire*:
  È capitato un fatto strano = Something strange happened.
- The verbs *dimagrire, ingrassare, morire, nascere, invecchiare*:
  Sono dimagrito molto = I lost a lot of weigh.
- The reflexive verbs (*The Italian Project 1b*, Unit 9):
  Mi sono lavato con l'acqua fredda = I washed myself with cold water.

Analytically, *avere* is followed by:
- Transitive verbs (a transitive verb is a verb that requires both a direct subject and one or more objects):
  Non ho mai visto un film italiano = I never saw an Italian movie.
- Intransitive verbs that show an action of body, spirit or a psychical situation:
  Ho lavorato tutto il giorno = I worked all day, Ho pianto molto = I cried a lot
  Non ho dormito bene ieri notte = I did not sleep well last night.
- Intransitive verbs that express motion and state direction, like: *passeggiare, camminare, viaggiare*:
  Ho camminato fino a casa = I walked all the way home.
- Verbs that express sport action such as: *nuotare, sciare, giocare*:
  Abbiamo giocato a calcio ieri = We played soccer yesterday.

- Verbs meaning oral expression such as: *parlare, discutere, urlare, cantare*:
  Ho parlato con lui di un problema = I talked with him about a problem.

There are verbs that are formed with both auxiliaries. Such verbs are:

- *cambiare, cominciare, finire*. When they are expressed as transitive verbs, they get the auxiliary *avere* and when as intransitive they get *essere*:
  Ho cambiato idea = I changed my mind vs. *Sandra è cambiata = Sandra has changed.*
- *salire, scendere, saltare* are conjugated with *avere* when followed by a direct object. In any other case they are conjugated with *essere*. Compare:
  Ha salito le scale = He went up the stairs vs. *É salito per le scale = He went up through (using) the stairs*
  Ha saltato l'ostacolo = He jumped the obstacle vs. *È saltato in aria = It exploded.*
- *piovere, nevicare, tuonare, lampeggiare*. They get the auxiliary *avere* when emphasizing an action and its duration. When the consequences of the action are emphasized, they get the auxiliary *essere*. Compare:
  Ieri ha piovuto per dieci ore = Yesterday it rained for ten hours vs. *È piovuto e le strade sono allagate = It rained and (as a consequence) the streets are flooded.*

Sempre, mai, ancora, più, già, appena and *anche* are usually placed between the auxiliary and the past participle: *Non ho <u>ancora</u> parlato con Mario = I haven't talked to Mario yet.*
The particle of place *ci* substitutes a place which is already mentioned: *-Vieni al cinema con noi? -Sì, ci vengo volentieri = -Are you coming to the movie theatre with us? -Yes, I am gladly coming (there).*

When the modal verbs *potere, dovere, volere* have a function of auxiliary verbs in a sentence, they are conjugated in the *Passato Prossimo* with the same auxiliary of the infinitive that follows: *Ho potuto lavorare = I could work / I was able to work* (*lavorare* > *avere*), *Sono potuto venire = I could come / I was able to come* (*venire* > *essere*).

Unità 5

IL FUTURO - THE FUTURE TENSE

Generally, the future tense expresses an action taking place in the near or far future: *Domani andrà dal medico = Tomorrow, he/she will go to the doctor, Fra tre anni finirò i miei studi = In three years, I will finish my studies.*
The future tense is formed by dropping the final *-e* of the infinitive form of the verb and adding the endings of the future (-**ò**, -**ai**, -**à**, -**emo**, -**ete**, -**anno**). Note: verbs in -**are** change -**ar**- into -**er**-.
Parlare > parlar > parl<u>e</u>r**ò** = I will talk.
Leggere > legger > legger**ò** = I will read.
Pulire > pulir > pulir**ò** = I will clean.

We use the future tense for:

- Future plans: *Quando finirò l'università, lavorerò molto = When I finish college, I will work a lot.*
- Predictions: *Domani farà bel tempo! = Tomorrow the weather will be nice!*
- Estimations, suppositions, probability: *Avrà trent'anni = He/She must be thirty years old.*
- Promises: *Verrò da te domani! = I will come to see you tomorrow!*
- In the first type of hypotheticals, to express what is almost sure: *Se finirò* presto il lavoro, usciremo = If I finish working soon, we will go out.*

  *Notice the use of two future tenses in Italian, whereas in English the present tense is used in the dependent clause introduced by "if".
- Suggestions, orders, threats in a much milder way than that of the imperative: *Dovrai studiare prima di uscire! = You will have to study before going out!*

IRREGOLARITÀ DEL FUTURO - VERBAL IRREGULARITIES OF THE FUTURE

- The verbs in -**care** and -**gare** take the letter -**h**- in all persons: *Cercherò di venire = I will try to come.*
- The verbs in -**ciare**, -**giare**, -**sciare** drop the *-i-* of the stem in all persons: *mangiare* > **mangerò** (and not *mangierò*) = I will eat, *lasciare* > **lascerò** (and not *lascierò*) = *I will leave.*

- Some verbs drop the *-e-* of the suffix (*-erò*) like *avere* (*to have*) > avrò (and not *averò*), *potere* (*to be able to*) > potrò, *sapere* (*to know*) > saprò.
- A group of irregular verbs drops the prefinal (next to last) syllable and doubles the -r- of the final syllable: *volere* (*to want*) > vorrò, *venire* (*to come*) > verrò, *tenere* (*to have, to keep*) > terrò, *porre* (*to put*) > porrò. The same thing happens with the derivatives of the above verbs: *provenire, mantenere, proporre*.
- Finally, the verbs stare, dare, fare have the suffix -arò and not *-erò*.

IL FUTURO COMPOSTO - THE FUTURE PERFECT

The future perfect (*futuro composto*) is a compound tense. It is formed with the verbs *avere* and *essere* in the future plus the past participle of the verb.
It expresses:

- An action that will take place in the future before another future one and it is used only in subordinate clauses which are introduced by the adverbs of time: *quando, dopo che, appena, non appena*.

  Dopo che mi avranno pagato, andrò in vacanza = After they pay me, I will go on vacation.
- The action that precedes temporally is not necessarily mentioned first: *Andrò in vacanza appena avrò finito questo lavoro = I will go on vacation as soon as I have finished this job.*
- An uncertainty in the past: *Giulia non ha ancora chiamato. Sarà passata prima dalla nonna = Giulia has not called yet. She must have stopped at grandmother's house first.*
- A disagreement about something that happened in the past: *Sarà anche stato bravo al concerto, ma a me non è piaciuto per niente = He might have also been good at the concert, but I did not like him at all.*

CONTENTS

The words, in separate units, are listed as they appear, with clear reference to the part (*Student's book* or *Workbook*) and the section (A, B, C, D...). When a word is not stressed on the penultimate syllable, or when the stress is not clear, the stressed vowel is underlined (i.e.: *dialogo, farmacia*). Words preceded by * belong to audiotexts, not printed texts.

Abbreviations

avv.	avverbio	adverb
f.	femminile	feminine
m.	maschile	masculine
sg.	singolare	singular
pl.	plurale	plural
inf.	infinito	infinitive
p.p.	passato prossimo	present perfect
imp.	imperativo	imperative
Am.	inglese americano	American English
lett.	letteralmente	literary

UNITÀ INTRODUTTIVA *Benvenuti!*

STUDENT'S BOOK

unità, *l' (f.)*: unit
introduttiva: introductory
benvenuti (*sg.* benvenuto): welcome

A

parole, *le* (*sg.* la parola): words
e: and
lettere, *le* (*sg.* la lettera): letters

A2

musica, *la*: music
spaghetti, *gli*: spaghetti
espresso, *l'*: espresso
cappuccino, *il*: cappuccino
opera, *l'*: opera
arte, *l' (f.)*: art
moda, *la*: fashion
cinema, *il* (*pl.* i cinema): cinema

A3

alfabeto, *l'*: alphabet
italiano: Italian
lunga: long (*f. sg.*)
doppia: double (*f. sg.*)
greca (*pl.* greche): Greek

A5

casa, *la*: home, house
ascoltare: to listen
cosa, *la*: thing
cucina, *la*: kitchen
scuola, *la*: school
gatto, *il*: cat
regalo, *il*: present
dialogo, *il* (*pl.* i dialoghi): dialogue
singolare: singular
gusto, *il*: taste
lingua, *la*: language, tongue
ciao: hi!
cena, *la*: dinner
luce, *la*: light
pagina, *la*: page
giusto: right, correct
gelato, *il*: icecream
Argentina, *l'*: Argentina
chiavi, *le* (*sg.* la chiave): keys
macchina, *la*: car
maschera, *la*: mask
pacchetto, *il*: packet
Inghilterra, *l'*: England
colleghi, *i* (*sg.* il collega): colleagues
margherita, *la*: daisy
Ungheria, *l'*: Hungary

A6

***buongiorno**: good morning
***facile**: easy
***americani** (*sg.* americano): Americans
***chi**: who
***Genova**: Genoa
***amici**, *gli* (*sg.* l'amico): friends
***centro**, *il*: centre/center (*Am.*)
***corso**: course
***pagare**: to pay

B

italiana o italiano?: Italian (*f.*) or Italian (*m.*)?
o: or

B2

giornale, *il*: newspaper

B3

sostantivi, *i* (*sg.* il sostantivo): nouns
maschile: masculine
singolare: singular
plurale: plural
libro, *il*: book
studente, *lo*: student
femminile: feminine
borsa, *la*: hand bag
classe, *la*: class

B4

finestra, *la*: window
libreria, *la*: bookcase
pesce, *il*: fish
notte, *la*: night
albero, *l'*: tree
treno, *il*: train

B5

ragazzo, *il*: boy
alto: tall (*m. sg.*)
rossa: red (*f. sg.*)
aperta: open (*f. sg.*)
nuova: new (*f. sg.*)
ragazza, *la*: girl

C

ciao, io sono Gianna: hi! My name is Gianna
io: I
sono (*inf.* essere): I am

C2

questi sono: these are
questi (*sg.* questo): these (*m. pl.*)
siete (*inf.* essere): you are (*pl.*)
lui: he
australiano: Australian
piacere: nice to meet you
sei (*inf.* essere): you are (*sg.*)
spagnola: Spanish (*f. sg.*)
sì: yes
e tu?: and you?
tu: you

C3

verbo, *il*: verb
essere: to be
lei: she
noi: we
loro: they

C4

brasiliana: Brasilian (*f. sg.*)
marocchino: Morroccan (*m. sg.*)
argentini (*sg.* argentino): Argentinian (*m. pl.*)

C5

ungherese (*m./f.*): Hungarian
inglese (*m./f.*): English

C7

sorella, *la*: sister
uscita, *l'*: exit
schema, *lo*: scheme

C8

***museo**, *il*: museum
***scendere**: to get down
***isola**, *l'*: island
***vestito**, *il*: dress
***uscire**: to go out

D2

articolo determinativo: definite article
articolo, *l'*: article
determinativo: definite
zio, *lo* (*pl.* gli zii): uncle
la macchina di Paolo: Paolo's car
ecco (*avv.*): here (it) is
studenti d'italiano: students of Italian
molti: many (*m. pl.*)
calcio, *il*: football/soccer (*Am.*)
preferisco (*inf.* preferire): I prefer
scusi: excuse me (*formal*)
è questo l'autobus per il centro?: is this the bus going to the town centre?
autobus, *l'* (*pl.* gli autobus): bus
per il centro: to the centre

D3

stivali, *gli* (*sg.* lo stivale): boots
zaino, *lo*: racksack
zia, *la*: aunt
panino, *il*: sandwich
arei, *gli*: aeroplanes
numeri, *i*: numbers

D4

bella: beautiful (*f. sg.*)
piccoli: small (*m. pl.*)
ristorante, *il*: restaurant
moderni: modern (*m. pl.*)
giovane (*m./f.*): young

D6

bagno, *il*: bath/bathroom
famiglia, *la*: family
globale (*m./f.*): global
zero, *lo*: zero
azione, *l'*: action
canzone, *la*: song
mezzo: half, means
azzurro: blue
pezzo, *il*: piece
pizza, *la*: pizza

D7

***cognome**, *il*: surname
***meglio** (*avv.*): better
***Svizzera**, *la*: Switzerland
***esercizio**: exercise
***maggio**: May
***vacanze**, *le*: holidays
***luglio**: July

E

chi è?: who is...?

E2

si chiama (*inf.* chiamarsi): her name is
che bella ragazza!: what a beautiful girl!
che: what, that
tesoro: honey, darling
hai (*inf.* avere): you have (*sg.*)
le chiavi di casa: house keys
no: no
ho (*inf.* avere): I have
le chiavi della macchina: the car keys
dove: where
sai (*inf.* sapere): you know (*sg.*)
ha (*inf.* avere): she has
fratelli, *i*: brothers
davvero (*avv.*): really
quanti anni hanno?: how old are they?
quanti: how many
anni, *gli*: years
hanno (*inf.* avere): they have
mi chiamo (*inf.* chiamarsi): my name is

E3

avere: to have

E6

come si scrive: how do you spell?
come: how
suo: his/her (*m. sg.*)
nome, *il*: name

E7

consonanti, *le* (*sg.* la consonante): consonants
caffè, *il* (*pl.* i caffè): coffee
difficile: difficult (*sg.*)
oggetto, *l'*: object
giallo: yellow
mamma, *la*: mum
nonna, *la*: grandmother
gonna, *la*: skirt
terra, *la*: earth, soil
corretto: correct
settimana, *la*: week

E8

***note**, *le*: notes
***penna**, *la*: pen
***mano**, *la* (*pl.* le mani): hand
***stella**, *la*: star
***bicchiere**, *il*: glass
***latte**, *il*: milk
***doccia**, *la*: shower
***torre**, *la*: tower
***bottiglia**, *la*: bottle
***pioggia**, *la*: rain
test finale: final test
test, *il* (*sg.* i test): test
finale: final

Grammar Appendix

abitudine, *l'* (*f.*): habit
ecc. (ecctera): etc.
attore, *l'* (*m.*): actor
sapore, *il*: taste
problema, *il*: problem
tema, *il*: theme, subject, topic
programma, *il*: program, programme
clima, *il*: climate, weather
telegramma, *il*: telegram
panorama, *il*: landscape
turista, *il/la*: tourist
barista, *il/la*: bartender, barman/barwoman (*Am.*)
tassista, *il/la*: taxi driver
pessimista, *il/la*: pessimist, negative
regista, *il/la*: film director
crisi, *la*: crisis
analisi, *l'* (*f.*): analysis
tesi, *la*: thesis
sintesi, *la*: synthesis, summary
perifrasi, *la*: periphrasis
nfasi, *l'* (*f.*): enphasis, stress
ipotesi, *l'* (*f.*): hypothesis, assumption
amaro: bitter
re, *il*: king
film, *il*: film, movie
città, *la*: city
università, *l'* (*f.*): university
virtù, *la*: virtue
auto, *l'* (*f.*): car
moto, *la*: motorbike
serie, *la*: series
specie, *la*: species
fuoco, *il*: fire
albergo, *l'* (*m.*): hotel
greco, *il*: Greek
mdico, *il*: doctor
psicologo, *lo*: psychologist
incarico, *l'* (*m.*): task, assignment, job
obbligo, *l'* (*m.*): duty
chirurgo, *il*: surgeon
stomaco, *lo*: stomach
archeologo, *l'* (*m.*): archeologist
yogurt, *lo*: yogurt
gnomo, *lo*: gnome
pneumatico, *lo-il*: tyre, pneumatic

WORKBOOK

quaderno: notepad

13

età, *l'* (*f.*): years, age

UNITÀ 1 *Un nuovo inizio*

STUDENT'S BOOK

inizio: beginning

Per cominciare...

cominciare: to start

Per cominciare 1

un: a (*m.*)
lavoro: job, work
una: a (*f.*)
amore: love

Per cominciare 2

notizia: news
direttore: director, manager

orario: timetable
gentile: kind
agenzia: agency
fortunata: lucky

A

e dove lavori adesso?: and where do you work now?

A1

telfona a Maria: she telephones Maria
telfona (*inf*. telefonare): he/she telephones
ogni giorno: every day
giorno: day
non ha: she has not
non: not
ancora (*avv*.): still
in una farmacia: in a pharmacy
farmacia: pharmacy
tornare: to go back
a casa: home
prende (*inf*. prendere): she takes
metrò, *il*: underground, subway (*Am*.)
pronto?: hello
ehi, ciao!: hey, hi!
come stai?: how are you?
stai (*inf*. stare): you are (*sg*.)
bene, e tu?: well, and you?
bene (*avv*.): well
ma da quanto tempo!: it's a long time!
da: since, for
tempo: time
hai ragione: you are right
ragione: right
senti (*inf*. sentire): listen (*imp*.)
cioè (*avv*.): that is (to say)
non lavoro più: I don't work anymore
più (*avv*.): anymore
in un'agenzia di viaggi: in a travel agency
viaggi, *i* (*sg*. il viaggio): travels, trips
che bello!: how nice!, great!
contenta: pleased
molto (*avv*.): very
simpatici (*sg*. simpatico): nice
carino: lovely, nice
l'orario d'ufficio: working hours
ufficio, *l'*: office
apre alle 9: it opens at 9.00
apre (*inf*. aprire): it opens
chiude (*inf*. chiudere): it closes
a che ora arrivi?: what time do you arrive?
che: what
ora: time, hour
arrivi (*inf*. arrivare): you arrive
finisco di lavorare: I finish work
finisco (*inf*. finire): I finish
dopo venti minuti: in (after) twenty minutes
dopo (*avv*.): after
minuti: minutes
brava: well done! Bravo!
sono contenta per te: I am pleased (happy) for you
te: you (object)

A3

qual è: which is
è contenta del nuovo lavoro: she is pleased with her new job

A4

com'è?: how is it?
tutto bene: everything's fine
tutto: everything
poi (*avv*.): then, after, afterwards
vicino (*avv*.): near, close
mah: hum
20 minuti dopo: 20 minutes later

A6

presente indicativo: indicative present
presente, *il*: present tense
indicativo: indicative
1ª coniugazione: first conjugation
1ª (prima): first
coniugazione: conjugation
2ª (seconda): second
3ª (terza): third
dormire: to sleep
offrire: to offer
partire: to leave, to depart
spedire - *spedisco*: to send
unire - *unisco*: to join
pulire - *pulisco*: to clean
chiarire - *chiarisco*: to clarify

A7

con chi parli?: who are you talking to?
che tipo di musica ascolti?: what kind of music do you listen to?
tipo: kind, type, sort
quando: when
oggi (*avv*.): today
che cosa: what
guardano (*inf*. guardare): they look at, watch
televisione, *la*: television
cosa prendete da mangiare?: what would you like to eat?
mangiare: to eat
insegnante (*m./f*.): teacher, tutor
quando partite per Perugia?: when are you leaving for Perugia?
Perugia: Perugia (*Italian city*)
domani (*avv*.): tomorrow

B1

caro: dear
me: me
aspetto a cena: I am waiting for dinner
aspetto (*inf*. aspettare): I wait
amica: girlfriend, female friend
da tempo: for sometime
occhi, *gli* (*sg*. l'occhio): eyes
verdi (*sg*. verde): green
capelli: hair
biondi: blonde
purtroppo (*avv*.): unfortunately
porta (*inf*. portare): he/she brings, comes with
anche: also, as well
fidanzato: fiancé
Medicina: Medicine
una cosa non capisco: (there is) something I do not understand
studia (*inf*. studiare): he studies
uomo, *l'* (*pl*. gli uomini): man
come me: like me
già (*avv*.): already
Jennifer preferisce Saverio a Luca: Jennifer prefers Saverio to Luca

B2

articolo indeterminativo: indefinite article
indeterminativo: indefinite
palazzo: building, palace
studentessa: student (*f*.)
edicola: newsagent, kiosk
diario: diary
giornata: daytime
di mio fratello: my brother's
mio: my
castani: brown (hair, eyes)
intelligente: intelligent, clever
Lettere: Literature
donna: woman
come tante: ordinary, common (*lett*. like everyelse)
tante: many (*f. pl*.)
speciale: special
forse (*avv*.): maybe, perhaps
solo (*avv*.): only

B3

stipendio: salary
basso: low
pesante: heavy
attore: actor
famoso: famous
viso: face
idea: idea
interessante: interesting
corso d'italiano: Italian course

B4

storia: story
tema, *il* (*pl*. i temi): theme, topic
partita, *la*: match

B5

grande: big

C

di dove sei?: where are you from?

C1

scusa: excuse me (*informal*)
per andare in centro?: how do I go/get to the city centre?
andare: to go
fermate, *le*: bus stops
grazie: thank you
prego: my pleasure, you are welcome
sei straniera, vero?: you are a foreigner, aren't you?
sei qui per lavoro?: are you here on business?
qui (*avv*.): here
sono qui da due giorni: I have been here for two days
allora: then
ben arrivata: welcome
complimenti: congratulations
abiti qui vicino?: do you live nearby?
in via Verdi: on Verdi street
via: street
anch'io: so do I
a presto: see you soon
presto (*avv*.): soon

C3

ultima fermata: last stop
dare: to give
da quanto tempo sei qui?: how long have you been here?
per motivi di lavoro: for business reasons, on business
motivi, *i*: reasons
al numero 3: at number three

D2

***buonanotte**: good night
***signor** (signore, *il*): mister
***anche a Lei**: and to you (*formal*)
***Lei**: you (*formal*)
***signora**, *la*: lady
***vai** (*inf*. andare): you go
***vado** (*inf*. andare): I go
***al supermercato**: to the supermarket
***supermercato**: supermarket
***come va?**: how is it going?
***va** (*inf*. andare): it goes
***così e così**: so and so
***così** (*avv*.): so
***buonasera**: good evening
salutare: to greet, to salute
buon pomeriggio: good afternoon
buon (buono): good

pomeriggio, *il*: afternoon
informale: informal
salve!: hello!
ci vediamo: see you later
arrivederci: bye-bye (*informal*)
arrivederLa: good bye (*formal*)
formale: formal

D3

palestra: gym

D4

università, *l'* (*pl.* le università): university
mattina: morning
esci dalla biblioteca: get out of the library
esci (*inf.* uscire): you get out, leave
biblioteca, *la* (*pl.* le biblioteche): library
al bar: at the bar
bar: bar, café
verso le 18: around 6 p.m.
verso: around
serata: evening
in discoteca: in the disco
discoteca: disco

E1

sa (*inf.* sapere): you know (*formal*)
ha una pronuncia tutta italiana: you have (*formal*) a very Italian accent
se permette: if you let me, if I may
permette (*inf.* permettere): you allow (*formal*) me
svizzera: Swiss
in vacanza: on holiday
visito (*inf.* visitare): I visit
ecco perché: that's why
così bene: so well

E3

signorina, *la*: Miss

F1

lungo: long
naso: nose

F2

mettete in ordine: put in order (*imp.*)
ascoltatelo: listen to it (*imp.*)
alla francese: French ... (*i.e.* nose)
quello di Gloria: the one that belongs to Gloria
abbastanza (*avv.*): quite, enough
magra: slim
simpatica (*pl.* simpatiche): nice

F3

mancano (*inf.* mancare): missing (*lett.* they miss)
aspetto: appearance
vecchio: old
brutto: ugly
corti: short
neri: black
carattere, *il*: character, attitude
sembra (*inf.* sembrare): he/she seems, looks like
antipatico (*pl.* antipatici): not nice
allegro: cheerful
triste: sad
scortese: unkind

F4

testa: head
fronte, *la*: forehead
bocca: mouth
braccio, *il* (*pl.* le braccia): arm
dito, *il* (*pl.* le dita): finger

Conosciamo l'Italia
L'Italia: regioni e città

regioni, *le* (*sg.* la regione): regions
città: city

Autovalutazione

autovalutazione: self-evaluation

contrario: opposite
fontana: fountain
Roma: Rome

WORKBOOK

1

abiti (*inf.* abitare): you live
lettera: letter
di solito: usually

2

vivere: to live
mai (*avv.*): never
Belgio, *il*: Belgium
francese: French

5

classica: classic

9

coreano: Korean
giapponese: Japanese (*sg.*)
tedesco: German
porta, *la*: door

10

giardino: garden

11

imparare: to learn
canadese: Canadian

Test finale

A

cane, *il*: dog

UNITÀ 2 *Come passi il tempo libero?*

STUDENT'S BOOK

passare: to spend, to pass
tempo libero: spare (free) time
libero: free

Per cominciare 1

al cinema: at the cinema
a teatro: at the theatre
teatro: theatre
giocare: to play (a game, a sport match)
videogiochi: video-games

A1

spesso (*avv.*): often
la sera: the evening
sera: evening
sportivo: sporty
fine settimana, *il*: weekend
a Roma: in Rome
sempre (*avv.*): always
all'estero: abroad
estero: abroad
al lago: to the lake
lago: lake
sappiamo tutto sulla tua carriera: we know everything about your career
sappiamo (*inf.* sapere): we know
su: on, about
carriera: career
poco della tua vita privata: little about your private life
poco (*avv.*): little
vita: life
privata: private
fai (*inf.* fare): you do, make
a dire la verità: to tell you the truth
verità, *la* (*pl.* le verità): truth
ma quando posso: but when I can
posso (*inf.* potere): I can
gioco a calcio: I play football/soccer (*Am.*)
come molti sanno: as most people know
sanno (*inf.* sapere): they know
gioco ancora nella nazionale cantanti: I am still on the national singing team
nazionale, *la*: national

cantanti, *i* (*sg.* il cantante): singers
inoltre (*avv.*): also
qualche volta: sometimes
qualche: some
gli amici più intimi: the most intimate friends
intimi: intimate
bere: to drink
qualcosa: something
invece (*avv.*): on the contrary, instead
non ho voglia di uscire: I don't feel like going out
avere voglia (di): to feel like, to fancy
voglia: wish, desire, will
sono gli amici che vngono da me: my friends come to my place
vengono (*inf.* venire): they come
da me: to my place
un po': a little
tv, *la*: TV
natura: nature
vado al lago di Como: I go to lake Como
Como: Como (*Italian city*)
dove ho una casa: where I have a house
viene (*inf.* venire): he/she comes
facciamo delle gite: we go on a trip
facciamo (*inf.* fare): we do, make, have
gite: trips
pescare: to fish
sono in tournée: I am on tour
tournée, *la*: tour
la settimana prossima: next week
prossima: next
in Francia: in France
Francia: France
Spagna: Spain
per due concerti: for two concerts
concerti: concerts
Parigi: Paris
Barcellona: Barcelona

A3

di solito: usually
restare: to stay
va sul lago: he goes to the lake

A4

venire: to come

A5

a quest'ora: at this time
stasera (*avv.*): tonight
ballare: to dance
stanchi (*sg.* stanco): tired
a scuola: a school
dall'aeroporto: from the airport
aeroporto: airport

A7

fare colazione: to have breakfast
colazione: breakfast
questa volta: this time
i tuoi genitori: your parents
tuoi: your (*m. pl.*)
genitori, *i* (*sg.* il genitore): parents
lezione: lesson

B

vieni con noi?: are you coming with us?

B1

devo (*inf.* dovere): I must, I have to
ma dai!: come on!
oggi è venerdì: today is Friday
venerdì, *il*: Friday
non è che non voglio...: it is not that I don't want...
voglio (*inf.* volere): I want
al mare: at the sea
mare, *il*: sea
volentieri (*avv.*): willingly, with pleasure

bel tempo: good weather
tempo: time, weather
in città: in town
pensiamo di andare: we are thinking of going
pensare: to think
vuoi venire?: would you like to come? (*lett.* do you want...?)
vuoi (*inf.* volere): you want (*sg.*)
certo: of course, certainly
è da tempo che...: it is a long time that...
che ne dici di andare: what about going
ne: of/about it, of/about them
Scala, *la*: Scala (Opera House)
biglietti: tickets
mi dispiace: I'm sorry
dispiacere: to be sorry
mia madre: my mother
madre, *la*: mother

B2

ottima: very good, excellent
ci andiamo?: should we go there?
ci: there
Venezia: Venice
invitare: to invite
accettare: to accept
invito: invitation
rifiutare: to refuse, to decline
con piacere!: I'd love to!
d'accordo!: agreed! OK!
perché no?: why not?

B3

mostra d'arte: art exhibition
mostra: exhibition
insieme (*avv.*): together
fare spese: to go shopping
spese: shopping

C1

entrare: to get in, to enter
puoi (*inf.* potere): you can, are able to, may (*sg.*)
sbagliare: to make a mistake
colore: colour
vincere: to win
tutto quello che...: everything (that)...

C2

verbi modali: modal verbs
potere: to can, may, to be able to
infinito: infinitive
momento: moment
professore: teacher, professor
per favore: please
favore: favour
prego: my pleasure, you are welcome
volere: to want
a pranzo: at lunch, for lunch
pranzo: lunch
fare tardi: to be late
tardi (*avv.*): late
dovere: must, to have to
a letto: to bed
letto: bed
per l'ospedale: for the hospital
ospedale, *l'* (*m.*): hospital
girare: to turn
sinistra: left
Stati Uniti, *gli*: United States

C3

sabato mattina: Saturday morning
sabato: Saturday
in montagna: in the mountains
montagna: mountain
superare: to pass, to overtake
esame, *l'* (*m.*): exam

D

dove abiti?: where do you live?

D1

organizzare: to organise/organize (*Am.*)
festa: party
a casa mia: in my place, in my house
solo che...: but, it's only that...
in periferia: in a suburban district
periferia: suburb
vicino allo stadio: near the stadium
stadio: stadium
in autobus: by bus
appartamento: apartment/flat (*Am.*)
al quinto piano: on the fifth floor
quinto: fifth
piano: floor
ascensore: lift/elevator (*Am.*)
sperare: to hope
comodo: comfortable
luminoso: bright
balcone, *il*: balcony
camera da letto: bedroom
camera: room
e pensare che...: if I think that...
400 uro d'affitto: a rent of 400 Euros
uro, *l'* (*pl.* gli euro): Euro
affitto: rent
al mese: per month
mese, *il*: month
ne vale la pena: it's worthwhile
valere: to be worthwhile
pena: worthwhile

D2

soggiorno: living room
salotto: sitting room
studio: studio
ripostiglio: storage room

E1

preposizioni: prepositions
banca: bank
Londra: London
a una festa: to a party
a piedi: on foot, walking
Germania: Germany
Pisa: Pisa
Siena: Siena
Napoli: Naples
da solo: on my own
Torino: Turin
Ancona: Ancona
ottobre, *l'* (*m.*): October

E2

da dove viene Lucio?: where does Lucio come from?

F1

che giorno è?: what's the date today?
lunedì, *il*: Monday
martedì, *il*: Tuesday
mercoledì, *il*: Wednesday
giovedì, *il*: Thursday
venerdì, *il*: Friday
sabato, *il*: Saturday
domnica, *la*: Sunday
spesa: shopping
appuntamento: meeting, appointment
***uno di questi giorni**: one of these days
***impossibile**: impossible
***ho molto da fare**: I am very busy, I have lots to do
***il martedì**: on Tuesdays
***ho lezione**: I have class
***compleanno**: birthday
***o domenica o mai**: either on Sunday or never
***mai** (*avv.*): never
***serie**: serious

G1

che ora è?: what time is it?
che ore sono?: what time is it?
e un quarto: a quarter past...
meno: minus
mezzogiorno: midday, noon
mezzanotte: midnight
meno un quarto: a quarter to...

Conosciamo l'Italia

I mezzi di trasporto urbano

mezzi di trasporto urbano: city public transport
mezzi: means
trasporto: transport
urbano: city-, town-, urban

1

usati: common (*lett.* used)
tram: tram/streetcar (*Am.*)
mentre: while
Milano: Milan
comprare: to buy
tabaccheria: tobacco shop
più di un mezzo: more than one means (of transport)
stazioni: stations
metropolitana: underground, subway (*Am.*)
macchinette: machines
automatiche: automatic
acquisto: purchase
in gnere: generally
passeggeri, *i* (*sg.* il passeggero): passengers
convalidare: to validate (a ticket)
timbrare: to print
corsa: trip
convalida: ticket validation
si trovano (*inf.* trovarsi): they are placed, located
poche: few
su internet: on internet
prima di salire: before boarding
prima (*avv.*): before
salire: to get into
appena (*avv.*): as soon as

2

linea: line (bus line)

3

auto, *l'* (*pl.* le auto): car
mezzi pubblici: public transport
pubblici: public
quindi (*avv.*): therefore
traffico: traffic
problema: problem
grave: serious
a causa delle tante macchine: because of so many cars
causa: cause
atmosfera: atmosphere, air
pulita: clean
trovare: to find
parcheggio: parking, parking area
per fortuna: luckily
fortuna: luck
sempre più persone: always more people
persone, *le*: people, individuals
motorino: scooter
bicicletta: bicycle
infine (*avv.*): also, and finally
taxi, *il*: taxi
tassì, *il*: taxi
ovviamente (*avv.*): obviously, clearly
costoso: expensive

in campagna: in the countryside
campagna: countryside
servizi: services

4

paese, *il*: country
gente, *la*: people
costare: to cost

5

lettera: letter
raccontare: to tell

Autovalutazione

abitazione: dwelling residence (house, flat, etc.)
ponte, *il*: bridge
Firenze: Florence

Grammar Appendix

morire: to die
piacere: to like
porre: to put
rimanere: to stay
scegliere: to choose
sedere: to sit
spegnere: to switch off
tenere: to keep
tradurre: to translate
trarre: to pull (out)
proporre: to propose
esporre: to expose, to display, to show
togliere: to take off, to remove
cogliere: to pick, to grasp
raccogliere: to collect, to gather, to pick up
mantenere: to maintain
ritenere: to believe, to think
produrre: to produce
ridurre: to reduce
distrarre: to distract
attrarre: to attract

WORKBOOK

12

dopodomani (*avv.*): the day after tomorrow

UNITÀ 3 *Scrivere e telefonare*

STUDENT'S BOOK

posta elettronica: e-mail
posta: post mail
elettronica: electronic
busta: envelope
posta: postal office
francobollo: stamp
buca delle lettere: letter-box
cellulare, *il*: mobile phone/cell phone (*Am.*)

Per cominciare 3

riuscire (a): to succeed, to manage
al telefono: on the phone
telefono: telephone
consigliare: to advise
sa già come fare: he already knows how to do
mandare: to send
pacco: parcel

A1

uffa: (*interjection meaning*) what a nuisance
chiamare: to call, to telephone
qua vicino: nearby
qua (*avv.*): here
proprio (*avv.*): just, right
appunto (*avv.*): exactly
perfetto: perfect
necessario: necessary
imbucare: to post
cassetta per le lttere: mail-box
almeno (*avv.*): at least
credere: to believe

A4

preposizioni articolate: prepositions combined with the articles

A5

Olanda: the Netherlands
guanti: gloves
cassetto: drawer
di chi sono questi libri?: whose are these books?
tavolo: table

A6

chiesa: church
in particolare: in particular
Italia del Sud: Southern Italy
Sud, *il*: South
comunale: municipal
commerciale: commercial

A7

partitivo: partitive
un po' di: a little of
zucchero: sugar

B1

sicuro: sure
dalle tre alle cinque: from 3.00 to 5.00
fino alle 20: until 8.00 p.m.
fino: until, up to
esce di casa: he/she goes out, gets out
pranzare: to have lunch
cenare: to have dinner
orario di apertura: opening time
apertura: opening

B3

negozio di abbigliamento: clothes shop
abbigliamento: clothes, wear
ufficio postale: post office
postale: post-, postal

C1

abiti: clothes, dresses
dentro (*avv.*): inside
armadio: wardrobe
televisore: television
camino: fireplace
sedie: chairs
intorno al tavolo: around the table
intorno (*avv.*): around
dietro (*avv.*): behind
scrivania: desk
tavolino: table
davanti alla lampada: in front of the lamp
davanti (*avv.*): in front
lampada: lamp
sulla parete: on the wall
parete, *la*: wall
divano: sofa
tra le poltrone: between the armchairs
poltrone: armchairs
tappeto: rug
sotto (*avv.*): under
quadro: picture, painting
sopra (*avv.*): over
pianta: plant

C2

a destra del: on the right handside of
specchio: mirror
cuscini: cushions

C3

è vero che: it is true that
sciopero: industrial action, strike
generale: general
dal meccanico: to mechanics the garage
meccanico: mechanic
in ritardo: late
ritardo: delay
lo so: I know
tremendo: dreadful, awful
troppe: too many

C4

vaso: vase

D1

qualcosa di interessante: something interesting
in tv: on TV
probabilmente (*avv.*): probably
su quale canale?: On which channel?
canale, *il*: channel
Juve, *la*: Juventus
Milan, *il*: Milan
beh: well
magari (*avv.*): perhaps
più tardi: later
partita di calcio: football/soccer (*Am.*) match

E1

di chi è?: whose is it?

E2

possessivi: possessive (adjectives and pronouns)
perciò: so, therefore
però: but, nevertheless

F1

fra 10 minuti: in 10 minutes
grazie mille: many thanks
una delle due valigie: one of the two suitcases
nessun problema: no problem
nessuno: none, nobody
figurati (*inf.* figurarsi): don't mention it (*informal*)
appunti: notes
grazie tante: thank you very much
di niente: my pleasure
niente: nothing

F2

ringraziare: to thank
ringraziamento: thanks
non c'è di che: don't mention it
ti ringrazio: I thank you

G

vocabolario: vocabulary
abilità: skill, ability

G1

autunno: autumn
inverno: winter
primavera: spring
estate, *l'* (*f.*): summer
gennaio: January
febbraio: February
marzo: March
aprile, *l'* (*m.*): April
maggio: May
giugno: June
luglio: July
agosto: August
settembre, *il*: September
ottobre, *l'* (*m.*): October
novembre, *il*: November
dicembre, *il*: December

G3

prezzo: price
Lancia, *la*: *Lancia*
scoperta: discovery
America: America
abitanti, *gli* (*sg.* l'abitante): inhabitants
scooter, *lo*: scooter
Aprilia, *l'* (*f.*): *Aprilia*
nascita: birth
costo: cost
villa sul lago: villa on the lake
villa: villa
sognare: to dream

Conosciamo l'Italia
Scrivere un'e-mail o una lettera (informale/amichevole)...

amichevole: friendly
carissimo: very expensive
baciare: to kiss
abbracciare: to embrace, to hug
baci: kisses
bacioni, *i* (*sg*. il bacione): big kisses
mittente, *il*: sender
destinatario: recipient
ricevere: to receive
sigla: abbreviation
provincia: province
meno (*avv*.): less
Bologna: Bologna (*Italian city*)
codice di avviamento postale, *il*: postcode, ZIP code
codice, *il*: code
abbreviazione: abbreviation
dottore: doctor
ingegnere: engineer
professoressa: professor, teacher
utili (*sg*. utile): useful
conseguenza: consequence
dunque: therefore
opposizione: opposition
comunque: however, whatever
al contrario: on the contrary
aggiunta: addition
non solo: not only
d'altra parte: on the other hand
concludere: to conclude
argomento: subject
riassumere: to summarise, to recap
in altri termini: in other words
termini, *i* (*sg*. il termine): terms

...e telefonare.

chiamata: call
interurbana: long-distance call
bisogna (*inf*. bisognare): you need, it is necessary
digitare: to dial
prefisso: area code
desiderata: wanted (*lett*. wished)
e così via: and so on
via: away
generalmente: (*avv*.): generally
per non disturbare: to avoid disturbing
disturbare: to disturb
evitare: to avoid
dopo le 10: after 10.00
di sera: in the evening
percentuale, *la*: percentage
mondo: world
quasi (*avv*.): almost, nearly
tutti: all, every
telefonino: mobile phone
da vicino: closely
tecnologie: technologies
relative alle telecomunicazioni: related to telecommunications
relative: related to
telecomunicazioni: telecommunications
numeri utili: useful numbers
cittadini: citizens
turisti, *i* (*sg*. il turista): tourists
carabinieri, *i* (*sg*. il carabiniere): carabinieri
pronto: flying (*lett*. quick)
intervento: squad (*lett*. intervention)
gratuita: free (of charge)
emergenza: emergency
sanitaria: sanitary, health
informati: informed
viabilità: road conditions, traffic report
in tempo reale: in real time
reale: real
coordinato: co-ordinated
Ministeri: Ministries, Departments
Lavori Pubblici: Public Works
Interno: Interiors, Home Office
polizia: police
soccorso: first aid, rescue
in caso di: in case of, in the event of
caso: case, event
pericolo: danger
calamità: calamity
da utilizzarsi: to be used
utilizzare: to use
non sia possibile: whenever it is not possible
diversi: different, various
enti, *gli* (*sg*. l'ente): Authorities
interessati: concerned, interested
vigili del fuoco: fire brigade
vigili, *i* (*sg*. il vigile): fire men
fuoco: fire
infanzia: childhood
gestito da: run by, managed by
raggiungibile: reachable, accesible
telefonia: telephone line
fissa: landline
telefonici: phone-
incendio: fire
somiglianze: similarities
cabina telefonica: telephone booth
cabina: booth
scheda telefonica: telephone card
scheda: card
giornalaio: newsagent

Autovalutazione

avvocato: lawyer, solicitor
di fronte (a): opposite
gruppo: group
piazza: square, place
campo: field

WORKBOOK

6

centrale: central

7

Russia: Russia

8

modo: fashion, way

11

spettacolo: show, spectacle

12

entrata: entrance, entry time

14

distanza: distance

20

foglie: leaves
temperatura: temperature

22

***quiz**: quiz
***monumenti**: monuments
***pendente**: pending
***galleria**: gallery
***maschio**: male, masculine
***castello**: castle
***campanile**, *il*: bell tower
***duomo**: cathedral

UNITÀ 4 *Al bar*

STUDENT'S BOOK

tranquillo: quiet, calm
tutti e due: both

A1

come hai passato il fine settimana?: how did you spend last weekend?
non c'è male: not too bad
male (*avv*.): bad
niente di speciale: nothing special
le solite cose: the usual stuff
solite: usual
bere (*p.p.* ha bevuto): to drink
antico: ancient, old
Caffè: Coffee bar
ieri (*avv*.): yesterday
collega, *il/la*: colleague
film, *il*: film, movie
be': well
essere (*p.p.* è stato): to be
divertente: enjoyable, funny
rimanere (*p.p.* è rimasto): to stay
cosa hai fatto di bello?: did you do anything nice?
fare (*p.p.* ho fatto): to do, to make
un sacco: a lot
invece, sì: on the contrary, yes
nel pomeriggio: in the afternoon
ha avuto l'idea di andare: she thought of going
in gran fretta: in a hurry
fretta: hurry
sala: cinema theatre
intenso: intense
insomma (*avv*.): in conclusion, then

A4

insieme a: with, together with

A5

passato prossimo: present perfect tense
passato: past
participio passato: past participle

A6

ausiliare, *l'* (*m*.): auxiliary
al dente: al dente, not overcooked
dente, *il*: tooth
cartoline: postcards
un anno fa: a year ago
fa: ago
come mai: why ever
dare una festa: to give, to throw a party

A7

l'altro ieri: the day before yesterday
l'estate scorsa: last summer
scorsa: last
in punto: o'clock

B1

mensa: canteen
incontrare: to meet
dentista: dentist

B2

ritornare: to return, to go back
rientrare: to go back in
giungere (*p.p.* è giunto): to arrive
succedere (*p.p.* è successo): to happen
morire (*p.p.* è morto): to die
nascere (*p.p.* è nato): to be born
piacere (*p.p.* è piaciuto): to like
servire: to serve, to be useful
diventare: to become
durare: to last
alzarsi: to get up
svegliarsi: to wake up
lavarsi: to wash (oneself)
ridere (*p.p.* ha riso): to laugh
piangere (*p.p.* ha pianto): to cry
camminare: to walk
cambiare: to change
ultimamente (*avv*.): lately
scendere (*p.p.* è/ha sceso): to get down
correre (*p.p.* è/ha corso): to run

B3
quel giorno: that day
subito (*avv.*): at once
aula: classroom
intorno alle due: around 2.00 (p.m.)
come sempre: as usual
circa: around
lì (*avv.*): there
venire (*p.p.* è venuto): to come

B4
anzitutto (*avv.*): first of all
per prima cosa: first thing

B6
correggere: to correct
spendere: to spend
accendere: to light, to turn on
decidere: to decide
soffrire: to suffer
vivere: to live
perdere: to lose
proporre: to propose, to suggest
spegnere: to turn off, to extinguish
promettere: to promise
discutere: to discuss, to argue

B7
in tempo: on time, in time
bugia: lie
tutto il giorno: all day long
campionato: championship

C1
direttrice, *la*: director
laureata in Economia e Commercio: Business & Economics graduate
laureata: graduate
economia: Economics
commercio: Commerce
per quanto tempo?: for how long?
andare via: to go away, to leave
nel settembre scorso: last September
in tutto: in total
da allora: since then
allora (*avv.*): then

C2
tempo fa: some time ago
data: date
precisa: exact
nel febbraio del 1982: in February 1982
elementare: primary, elementary

C3
entrare in circolazione: to be put into circulation
circolazione: circulation
ospitare: to host
Giochi Olimpici: the Olympic Games
giochi: games
olimpici: Olympic
invernali (*sg.* invernale): winter
repubblica: republic
inventare: to invent
radio, *la*: radio
trionfare: to triumph
Festival di Sanremo: the Sanremo Festival
festival: festival
Sanremo: Sanremo
sezione: section
proposte: newcomers

C5
sei mai stato in Spagna?: have you ever been to Spain?

D1
avere fame: to be hungry
fame, *la*: hunger
listino: price list
menù: menu
ecco a voi: here we are
vorrei (*inf.* volere): I would like
dopo pranzo: after lunch
tramezzino: sandwich
anzi: in fact, on the contrary
cornetto: croissant
cameriere, *il*: waiter
caffè macchiato: caffe macchiato (with a drop of milk in it)
acqua minerale: mineral water
acqua: water
minerale: mineral
prosciutto crudo: "crudo" ham
prosciutto: ham
crudo: raw, uncooked, "crudo" (speciality Italian cured ham)
mozzarella: mozzarella
lattina: can
un tipo deciso: a determined type
deciso: determined

D3
caffè corretto: caffe corretto (with a drop of spirit in it)
decaffeinato: decaffeinated
caffelatte, *il*: caffelatte (coffee and milk)
tè, *il*: tea
camomilla: camomile tea
cioccolata in tazza: hot chocolate
cioccolata: chocolate
tazza: cup
panna: (wipped) cream
freddo: cold
dolci, *i* (*sg.* il dolce): desserts
coppa: cup
torta al caffè: coffee cake
torta: cake
tiramisù: tiramisu cake
zabaione, *lo*: zabaione
stracciatella: vanilla cream (with some chocolate)
cioccolato: chocolate
pannacotta: pannacotta (cooked cream)
bibite: soft drinks
in lattina: in can
spremuta d'arancia: freshly squeezed orange juice
spremuta: squeeze
arancia, *l'* (*pl.* le arance): orange
birra: beer
alla spina: draft
media: medium
aperitivi: aperitifs
bianco: white
pomodoro: tomato

D4
ordinare: to order
avere sete: to be thirsty
sete, *la*: thirst

D5
stamattina (*avv.*): this morning
in fretta: in a hurry
rumore: noise
relazione: relation
di seconda mano: second hand
affrontare: to face
da sole: on their own
buona scusa: good excuse
scusa: excuse

E2
esistere (*p.p.* è esistito): to exist
più o meno: more or less
parlatene: talk about it (*imp. pl.*)
fuori (*avv.*): outdoor
posto: place

Conosciamo l'Italia
Gli italiani e il bar
sosta: break
programma, *il* (*pl.* i programmi): programmes
giornaliero: daily
ora di pranzo: lunch time
seguito da: followed by
buon caffè: a nice cup of coffee
barista: barman
banco: bar
cassa: till
ritirare: to take
scontrino: receipt
accoglienti (*sg.* accogliente): welcoming
ospitali (*sg.* ospitale): hospitable
bar di provincia: bars in the small towns
più che altro: mainly, more than others
ritrovo: meeting place
di ogni età: of every age
giocare a carte: to play cards
carte: cards
è ancora più piacevole: it is even more pleasant
piacevole: pleasant
sedersi: to sit
ai tavolini: at the tables
in piazza: in the street (*lett.* square)
semplicemente (*avv.*): simply
sul marciapiede: on the pavement
marciapiede, *il*: pavement
godere del sole: to enjoy the sun
godere: to enjoy
sole, *il*: sun
chiacchierare: to chat
tazzina: coffee cup
ad esempio: for instance, for example
leggendario: legendary
punto di ritrovo: meeting point
scherzare: to joke, to make fun
passeggiare: to stroll, to have a walk
tipici esempi: typical examples
tipici: typical
locale, *il*: public place
soprattutto (*avv.*): above all
in piedi: standing
insegna: (commercial) sign
tantissime: a great many

Il caffè
riferirsi - *mi riferisco*: to refer to
dal gusto: with a taste of, tasting of
aroma, *l'* (*m.*): aroma, fragrance
forti (*sg.* forte): strong (*pl.*)
milanese: from Milan
macchina per il caffè: coffee machine
da bar: bar (machine)
permette di preparare: it allows you to prepare
preparare: to prepare
velocità: speed
preparazione: preparation
consumazione: consume
vita di tutti i giorni: everyday life
simbolo: symbol
pochissimo: very little
piena: full
sapore, *il*: taste
leggero: light
ristretto: strong
ghiaccio: ice
liquore: spirit, liqueur
caldo: hot
bevanda: drink
frati, *i* (*sg.* il frate): friars
cappuccini: Capuchin

in pratica: in practice
pratica: practice
trattarsi (di): to be about
schiuma di latte: milk foam
schiuma: foam
consiglio: advice, suggestion
invece di: instead of
infatti: as a matter of fact
impensabile: unthinkable, inconceivable
cappuccio: hood
pasto: meal
benissimo (*avv.*): very well
a tutte le ore: at any time
preferito: favourite, preferred

Caffè, che passione!

passione: passion
al giorno: per day, every day
al pomeriggio: in the afternoon
rito: rite, ceremony
irrinunciabile: unmissable, not to be missed
sacchi: bags, sacks
importato: imported
pari a: equal to
tonnellate: tons
restanti (*sg.* restante): remaining
consumo: consumption
posto di lavoro: working place
consumate: consumed
caffettiere: coffee machines
ad uso domestico: for domestic use, home-
domestico: domestic, home-
la più usata: the most used, widespread
Moka, *la*: Moka
in pochi minuti: in few minutes

Autovalutazione

localizzare: to locate
spazio: space
all'inizio: in the beginning
può darsi: it can be
con lo sconto: with the discount
sconto: discount

Grammar Appendix

ammettere: to admit
appendere: to hang
concedere: to concede
crescere: to grow
deludere: to disappoint
difendere: to defend
dirigere: to lead, to drive
distinguere: to distinguish, to recognise
distruggere: to destroy
dividere: to divide, to split, to share
escludere: to exclude
esplodere: to explode
insistere: to insist
muovere: to move
nascondere: to hide
offendere: to offend, to hurt
risolvere: to resolve
rompere: to break
spingere: to push
uccidere: to kill

WORKBOOK

8

novità: novelty
lavanderia: laundry

11

matematica: Mathematics

12

aranciata: orange sodas

13

birreria: beer shop, pub

15

***succo**: juice
***beata te!**: Lucky you!
***beata**: lucky
***cotto**: of a person madly in love (*lett.* cooked)
***non ti preoccupare** (*inf.* preoccuparsi): don't worry
***cucchiaini**: teaspoons
tonno: tuna
maionese, *la*: mayonnese
uova, *le* (*sg.* l'uovo): eggs

16

incontrare: to meet

UNITÀ 5 *Feste e viaggi*

STUDENT'S BOOK

Per cominciare 2

Madrid: Madrid
Lisbona: Lisbon
Zurigo: Zurich

Per cominciare 3

Natale, *il*: Christmas
lontano da: far from
lontano (*avv.*): far
a Capodanno: on New Year's Eve
Capodanno: New Year's Eve

A1

ancora no: not yet
quest'anno: this year
prenotare: to book
sorpresa: surprise
Portogallo: Portugal
treno ad alta velocità: high speed train
però!: wow!
giro d'Europa: tour of Europe
Europa: Europe
giro: tour, round
un bel po': quite a lot
anche se: even if
offerta: offer
sito: site
da qualche parte: somewhere
suoi: her (*m. pl.*)
l'ultimo dell'anno: New Year's Eve
festeggiare: to celebrate
in qualche bel posto: somewhere nice
buone feste: happy holidays
buon viaggio: have a nice trip
buon Natale: Merry Christmas
buon anno: happy new year

A3

a Natale: at Christmas
iniziali (*sg.* iniziale): original
augurare: to wish

A4

amore mio: my love
come no: sure!
bellissima: beautiful

A6

futuro smplice: simple future
futuro: future
finalmente (*avv.*): eventually
cucinare: to cook
smettere (di): to stop, to quit
per le vacanze: for (your) holidays
da grande: when I grow up (*lett.* when I am older)
architetto: architect

A8

progetti: plans, projects
giorno e notte: night and day
previsioni: forecast
laurea: graduation
piovere: to rain
bravissimo: very good
promesse: promises
va bene: alright
di più: more
periodo ipotetico: hypothetical sentence
periodo: sentence
ipotetico: hypothetical
andare avanti: to go on, forward
avanti (*avv.*): forward
da domani: from tomorrow
un giorno: one day
Ferrari, *la*: *Ferrari*

B1

biglietteria: ticket office, box office
controllo: control, check
binario: platform, rail

B2

seconda classe: second class
classe, *la*: class
Intercity: Intercity
Eurostar: Eurostar
andata e ritorno: return (ticket), round-trip
andata: outward journey
ritorno: return journey
solo andata: one way
quant'è?: How much is it?
compreso: included
supplemento: supplement
centesimi: cents
in arrivo: arriving
arrivo: arrival
al binario 8: on platform 8
anziché: rather than

C1

Alpi, *le*: Alps
la mattina del 23: in the morning of the 23rd
turno: work shift
dopo che: after that
ripartire: to leave

C2

di lei: her

C3

futuro composto: compound future
composto: compound

C4

isole Canarie: the Canary Islands
lotto: lotto, lottery
verrà o no?: will he come or not?

D1

***fa freddo**: it's cold
***tira vento**: it's windy
***tirare**: to blow (of wind)
***vento**: wind
***nemmeno** (*avv.*): not even
***nuvola**: cloud
***ti ricordi** (*inf.* ricordarsi): do you remember, recall
***all'improvviso**: suddenly
***pessimista**: pessimist, negative
***meteo**: weather-
nuvoloso: cloudy
previsioni del tempo: weather forecast
rinunciare: to give up

D2

Nord, *il*: North
***nuvolosità**: cloudiness
***su tutta la penisola**: all over the peninsula
***penisola**: peninsula
***nebbia**: fog, mist
***possibilità**: possibility, eventuality, chance
***temporali**, *i* (*sg.* il temporale): thunderstorms
***graduale**: gradual

***miglioramento**: improvement
***moderati**: moderate
***mosso**: rough (of sea)
***Tirreno**: Tyrreanian (Sea)
***Adriatico**: Adriatic (Sea)
***temperature**: temperatures
***in diminuzione**: decreasing
***diminuzione**: decrease
sereno: clear, sunny
variabile: variable
neve, *la*: snow
calmo: calm, quiet
deboli (*sg.* debole): weak
stabili (*sg.* stabile): stable
in aumento: increasing
aumento: increase

D3

nevicare: to snow

D4

cielo: sky
coperto: overcast
agitato: heavy, choppy

E1

periodo: period
dappertutto (*avv.*): everywhere
strade: roads, streets
illuminate: illuminated
affollati: crowded
c'è chi cerca...: there is someone who looks for...
parenti, *i* (*sg.* il parente): relatives
fare la spesa: to shop
ripieno: stuffed
spumante, *lo*: spumante, sparkling wine
naturalmente (*avv.*): naturally
tradizionale: traditional
cosiddetta: so-called
piene di: full of
Epifania: Epiphany
Pasqua: Easter
scherzo: joke
è permesso: (it) is allowed, permitted
Ferragosto: 15th August, Feast of the Assumption
tacchino: turkey
panettone, *il*: panettone
Carnevale, *il*: Carnival
cenone, *il*: Christmas Eve dinner
località: place, resort
scompartimento: compartment
crociera: cruise
valige: suitcases
bagagli, *i* (*sg.* il bagaglio): luggage
destinazione: destination
nave, *la*: ship
prenotazione: booking
tariffa: tarif, charge

Conosciamo l'Italia

Gli italiani e le feste

bambini: children
Babbo Natale: Father Christmas, Santa Claus (*Am.*)
babbo: father
doni: presents, gifts
insieme agli adulti: with the adults (grown-ups)
adulti: adults
addobbare: to decorate
albero di Natale: Christmas tree
presepe, *il*: crèche
farcito: stuffed
pollo arrosto: roast chicken
pollo: chicken
arrosto: roast, roasted
specialità: specialities
regionali (*sg.* regionale): regional, local
pandoro: pandoro
tavole: dining tables
appendere (*p.p.* ha appeso): to hang
calze: stockings
Befana: Befana
vecchietta: old nice witch
carbone, *il*: coal
cattivi: bad
mascherarsi: to wear a mask
costumi, *i* (*sg.* il costume): fancy dresses
noto: well known, popular
cattolica: catholic
cadere: to fall, to be
di domnica: on Sundays
uovo, *l'* (*pl.* le uova): egg
di cioccolata: chocolate
nascondere: to hide
i tuoi: your family/kin
proverbio: proverb, saying
nazionale: national, domestic
anniversario: anniversary
seconda guerra mondiale: Second World War
guerra: war
mondiale: world-
durante: during
estive: summer-
celebrare: to celebrate
ascesa: ascent, rising
Vergine Maria: Virgin Mary
vergine: virgin
popolari (*sg.* popolare): local
palio: palio
Asti: Asti
regata: regatta
storica: historical
giostra: carousel
saraceno: Saracen
Arezzo: Arezzo (*Italian city*)
contenere: to contain
Unità: Unity

I treni in Italia

distanze: distances
sia brevi che lunghe: both short and long distance
rete ferroviaria: rail network
rete, *la*: network
ferroviaria: rail-
coprire (*p.p.* ha coperto): to cover
territorio: territory
qualità: quality
offerti: offered
piuttosto (*avv.*): rather
esigenza: need
locale: local
collegare: to connect, to join
all'interno: within
interno: inside
fermarsi: to stop
diretto: local (train)
interregionale: interregional
vicine: close
veloci (*sg.* veloce): fast
livello: level
comodità: comfort
principali (*sg.* principale): main
standard: standard
comfort: comfort
250 km orari: 250 Km. per hour
orari: timetables
ristorazione: catering
includere (*p.p.* ha incluso): to include
rapidi: fast
lussuosi: luxurious
creati: created
designer: designer
ad oltre 300 km: over 300 km
oltre: over
km (chilometri): kilometres
all'ora: per hour
agevolazioni: concessions
anziani: elderly people
modalità: procedure
attiva: active
sia in 1^a che in 2^a classe: both in 1st and 2nd class
a bordo: on board
bordo: board
necessità: need
vantaggi, *i* (*sg.* il vantaggio): advantages
acquistare: to purchase
comodamente (*avv.*): comfortably
per telefono: by telephone
partenza: departure
eliminare: to cut
attesa: waiting
ritiro: collection
presso (*avv.*): by
sportello: ticket counter
carta di credito: credit card
funzionare: to work
conferma: confirmation
carrozza: wagon
assegnati: assigned
una volta saliti: once on the train
sufficiente: enough, sufficient
fornire - *fornisco*: to supply
personale, *il*: personnel
provvedere: to provide
stampare: to print
oltre al semplice biglietto: as well as the simple ticket
oltre: as well as
differire - *differisco*: to be different

Autovalutazione

computer: computer
sposare: to marry
puntuale: on time
direttamente (*avv.*): directly
ombrello: umbrella
pullman, *il*: coach

Grammar Appendix

dimenticare: to forget

WORKBOOK

4

ferie, *le*: work holidays
migliorare: to improve

7

chissà: who knows?
come al solito: as usual

8

mettere da parte: to put aside
mobili, *i* (*sg.* il mobile): furniture

11

ginnastica: gymnastics

16

***sciare**: to sky
***depliant**: brochure, leaflet
***specializzata**: specialised
***volo**: flight
***ragionvole**: reasonable
***esperienza**: experience
a testa: each

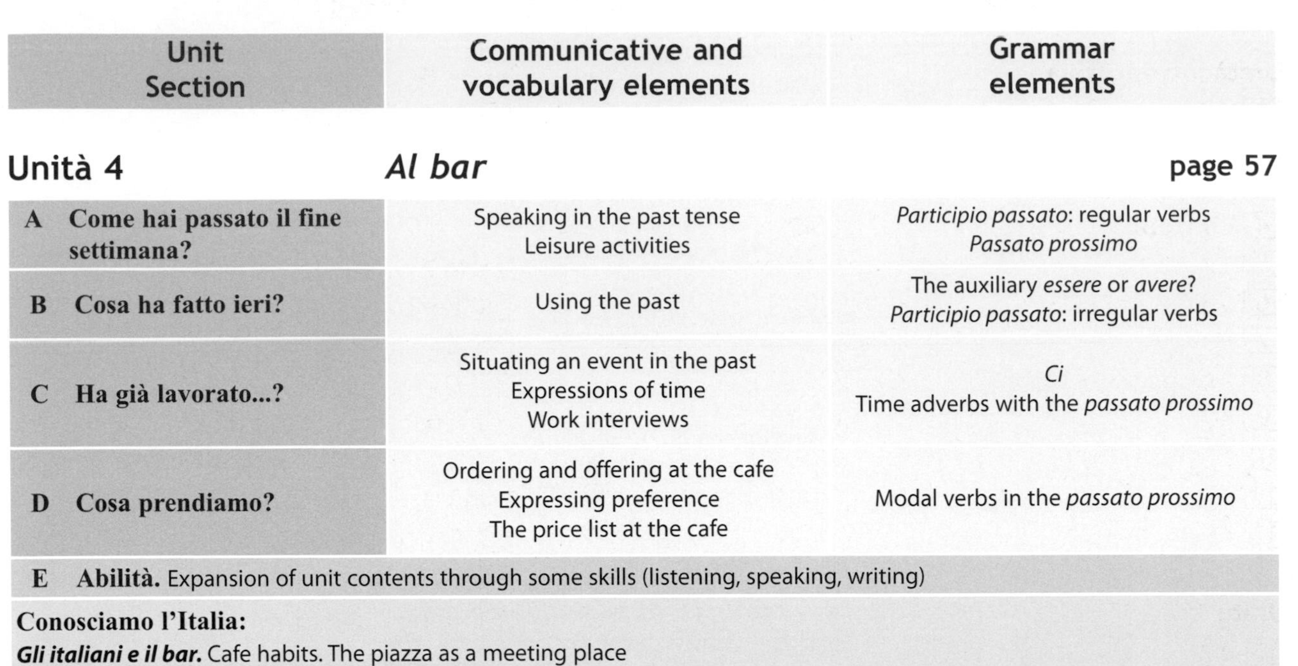

The first platform for students, teachers and schools of Italian.
Simple. Efficient. Free.

4 steps to use i-d-e-e:

1. Go to www.i-d-e-e.it and insert the personal code that you will find on the last page of your book.

2. In the section *Resources* you will find your Interactive workbook, with automatic correction and evaluation. In the section *Tools* you will find many useful functions and other material.

3. You can always check your *Detailed Results* and your mistakes for every single exercise.

4. In the *Class Page* you will find tests, games, announcements, blog, etc. created by your teacher!

Scratch here!

Scratch here to find your personal code to register on i-d-e-e.
Teachers and schools do not need a code.

The Italian Project 1a si può integrare con:

Via della Grammatica (A1-B2)
This book provides valuable support to Progetto italiano Junior 1 and 2. The book contains 40 units, practice activities and self-assessment tests - all in full colour.
Each unit uses simple language and numerous examples to address one or more aspects of grammar, before providing activities that are stimulating and fun.
Vocabulary is introduced gradually and authentic texts, on a variety of cultural, literary or everyday topics, offer students the chance to enrich and deepen their knowledge of Italy.
The book includes the answers, which are undoubtedly a necessary element for self-teaching and assessment.

ISBN 978-960-693-050-8

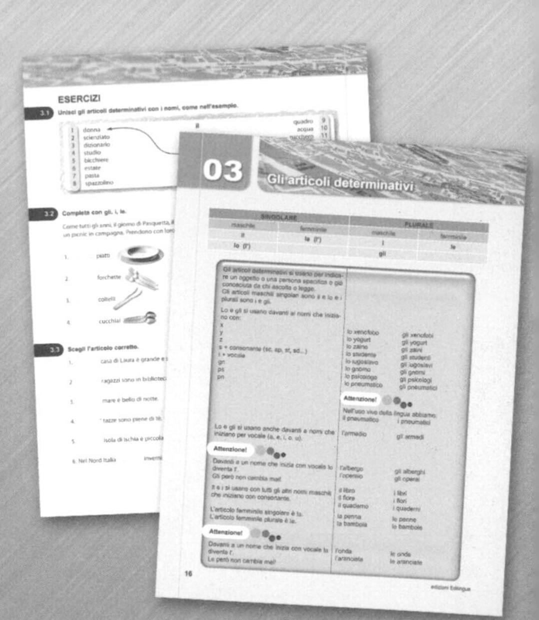

Interactive glossaries
An original, effective and fun way to learn and review vocabulary.
Free apps for Smartphones and tablets

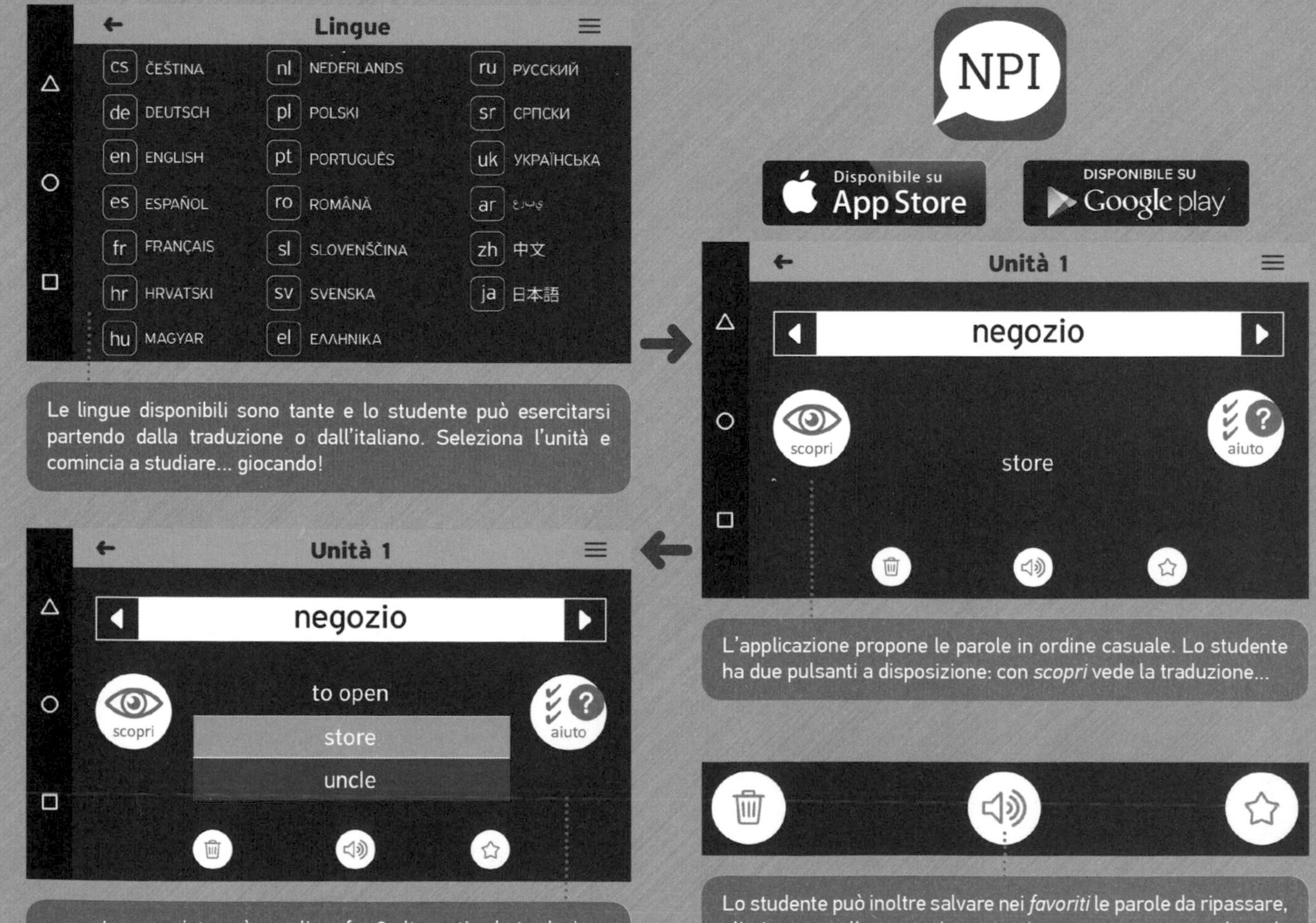

Le lingue disponibili sono tante e lo studente può esercitarsi partendo dalla traduzione o dall'italiano. Seleziona l'unità e comincia a studiare... giocando!

L'applicazione propone le parole in ordine casuale. Lo studente ha due pulsanti a disposizione: con *scopri* vede la traduzione...

...mentre con *aiuto* può scegliere fra 3 alternative la traduzione corretta ricevendo un feedback immediato.

Lo studente può inoltre salvare nei *favoriti* le parole da ripassare, eliminare quelle meno importanti e, soprattutto, *ascoltare la pronuncia* corretta, con la qualità di Google Translate!

Online activities, through safe and well-controlled websites, offer motivating exercises that lead students to the discovery of a more dynamic and deeper representation of Italian culture and society. Activities, that can be done/performed individually, in pairs or groups, stimulate participation, collaboration and develop oral skills.

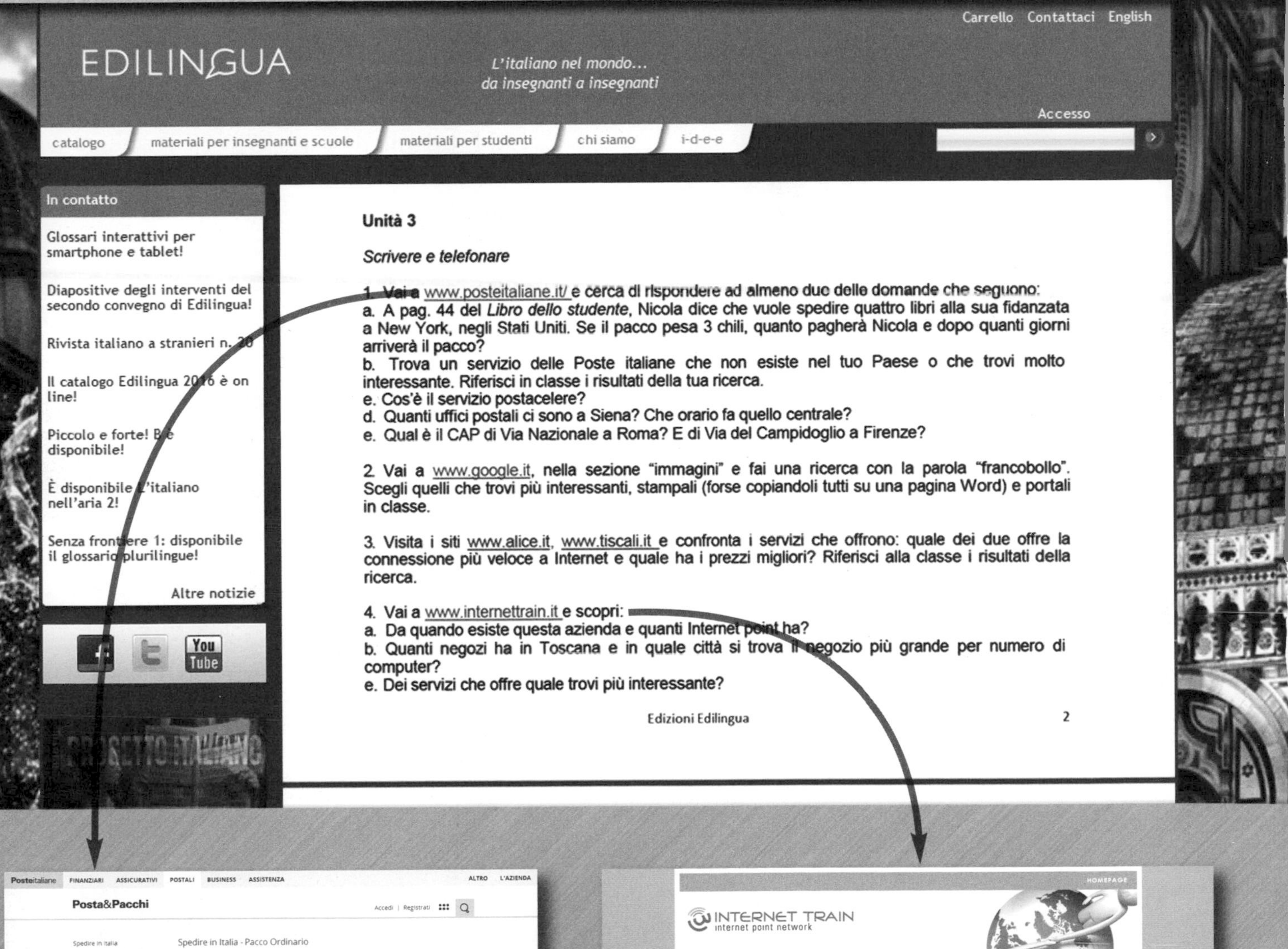

Unità 3

Scrivere e telefonare

1. Vai a www.posteitaliane.it/ e cerca di rispondere ad almeno due delle domande che seguono:
a. A pag. 44 del *Libro dello studente*, Nicola dice che vuole spedire quattro libri alla sua fidanzata a New York, negli Stati Uniti. Se il pacco pesa 3 chili, quanto pagherà Nicola e dopo quanti giorni arriverà il pacco?
b. Trova un servizio delle Poste italiane che non esiste nel tuo Paese o che trovi molto interessante. Riferisci in classe i risultati della tua ricerca.
e. Cos'è il servizio postacelere?
d. Quanti uffici postali ci sono a Siena? Che orario fa quello centrale?
e. Qual è il CAP di Via Nazionale a Roma? E di Via del Campidoglio a Firenze?

2. Vai a www.google.it, nella sezione "immagini" e fai una ricerca con la parola "francobollo". Scegli quelli che trovi più interessanti, stampali (forse copiandoli tutti su una pagina Word) e portali in classe.

3. Visita i siti www.alice.it, www.tiscali.it e confronta i servizi che offrono: quale dei due offre la connessione più veloce a Internet e quale ha i prezzi migliori? Riferisci alla classe i risultati della ricerca.

4. Vai a www.internettrain.it e scopri:
a. Da quando esiste questa azienda e quanti Internet point ha?
b. Quanti negozi ha in Toscana e in quale città si trova il negozio più grande per numero di computer?
e. Dei servizi che offre quale trovi più interessante?

Edizioni Edilingua 2

Index of Audio CD *The Italian Project 1* [Durata: 69'17"]

Unità introduttiva

1	A3	[1'31"]
2	A5	[1'31"]
3	A6	[1'05"]
4	C1 (a, b)	[0'42"]
5	C7	[0'47"]
6	C8	[1'04"]
7	D1	[0'35"]
8	D6	[0'55"]
9	D7	[0'58"]
10	E1 (1, 2, 3, 4)	[1'06"]
11	E7	[1'09"]
12	E8	[1'02"]

Unità 1

13	A1	[1'12"]
14	C1	[1'01"]
15	D2 (1, 2, 3, 4)	[0'45"]
16	F2	[0'33"]

Unità 2

17	Per cominciare 3	[1'24"]
18	B1 (1, 2, 3, 4)	[1'04"]
19	F1	[1'06"]

Unità 3

20	Per cominciare 3	[1'23"]
21	B1 (a, b, c)	[0'59"]
22	F1 (a, b, c)	[0'40"]
23	Quaderno degli esercizi	[1'41"]

Unità 4

24	Per cominciare 2	[1'42"]
25	D1	[1'14"]
26	Quaderno degli esercizi (a, b)	[1'34"]

Unità 5

27	Per cominciare 2	[1'33"]
28	B2 (1, 2, 3, 4, 5)	[1'15"]
29	D1	[0'51"]
30	D2	[0'53"]
31	Quaderno degli esercizi	[1'38"]

Unità 6

32	Per cominciare 2	[1'15"]
33	C2	[1'43"]
34	C6 (1, 2)	[1'48"]

Unità 7

35	Per cominciare 4	[1'40"]
36	C1	[1'20"]
37	D1 (1, 2, 3, 4)	[1'06"]
38	Quaderno degli esercizi	[1'30"]

Unità 8

39	Per cominciare 2	[1'26"]
40	B1 (a, b, c, d, e, f)	[0'57"]
41	E1 (1, 2, 3, 4, 5, 6)	[1'19"]
42	Quaderno degli esercizi	[2'25"]

Unità 9

43	Per cominciare 3	[1'31"]
44	B1 (a, b)	[2'01"]
45	E1 (a, b, c, d)	[0'52"]
46	Quaderno degli esercizi	[2'00"]

Unità 10

47	Per cominciare 2	[1'28"]
48	B1	[0'52"]
49	E2 (a, b, c)	[1'16"]
50	F1 (a, b, c)	[1'05"]
51	Quaderno degli esercizi	[1'48"]

Unità 11

52	Per cominciare 3	[1'36"]
53	C1	[1'13"]
54	Quaderno degli esercizi	[1'49"]

On Edilingua website (on "resources for students" menu) is it possible to listen to a slow version of the audio CD streaming online.